PIERRE
LA GUERRE
DU PRINTEMPS 81

Marie-Claire Blais

PIERRE
LA GUERRE
DU PRINTEMPS 81

roman

collection dirigée par
René Lapierre

Couverture : Illustration de Hélène Izinor
Maquette de TIBO

LES ÉDITIONS PRIMEUR INC.
5253, ave du Parc, bureau 530
Montréal, Qc H2V 4P2
Tél. : (514) 270-8401

Distributeur :
Les Presses de la Cité
9797, rue Tolhurst
Montréal   H3L 2Z7
Tél. : (514) 382-5950

Copyright 1984, Les Éditions Primeur Inc.
Dépôt légal, 2e trimestre 1984
Bibliothèque nationale du Québec

ISBN 2-89286-030-X

à Solange Legendre

Je remercie Louise-Odile Paquin
qui a colligé les faits réels, devenus
les événements romanesques de
ce livre.

Du même auteur

Aux Éditions Gallimard

Le sourd dans la ville, roman, 1980.
Visions d'Anna, roman, 1982.

Chez d'autres éditeurs

Romans

La belle bête, 1959.
Tête blanche, 1960.
Le jour est noir, 1962.
Une saison dans la vie d'Emmanuel, 1965, Prix Médicis 1966,
        traduit en treize langues.
L'insoumise, 1966.
David Sterne, 1967.
Manuscrits de Pauline Archange, 1968.
Vivre ! Vivre !, 1969.
Les apparences, 1970.
Le loup, 1972.
Une joualonais sa joualonie, 1973.
Une liaison parisienne, 1976.
Les nuits de l'Underground, 1978.

Théâtre

L'exécution, 1968.
Fièvres, 1974.
L'océan et murmures, 1977.
La nef des sorcières, 1976.

Récits

Les voyageurs sacrés, 1962.

Poésie

Pays voilés, 1964.
Existences, 1964.

Toutes les oeuvres de Marie-Claire Blais ont été traduites en anglais.

Les autres sont tous des témoins ; s'ils n'existaient pas, on ne saurait pas ce que c'est que la honte. Ce que j'avais vu sur le visage d'Uiko, au fond de ces yeux qui, dans la nuit finissante, jetaient un éclat d'eau en fixant intensément mes lèvres, c'était le monde des autres, je veux dire le monde où les autres ne vous laissent jamais seul, sont toujours prêts à se faire vos complices ou les témoins de votre abjection. Les autres, il faut les détruire tous. Pour que je puisse vraiment tourner ma face vers le soleil, il faut que le monde entier soit détruit...

Yukio Mishima, Le Pavillon d'Or.

Au printemps 1981, lorsque j'eus seize ans, je devins cet autre dont je vais raconter l'histoire. Je devins Pierre, je devins Gregg, je devins un homme de mon temps, cela, dans le seul but de survivre, loin de l'éducation sensible dont j'avais été victime, auprès de mes parents, de mes soeurs, à l'écart de la beauté, confiné dans ce seul acharnement salutaire, vivre parmi les hommes, devenir comme eux un homme d'acier, non plus ce tendre Pierre que tous avaient aimé, lequel n'était plus qu'un fantôme désormais, dans la sentimentale vision de ceux qui m'entouraient. Je délaissais cet univers transparent, féminin, de l'amour, pour entrer dans l'âme de l'homme où ce mot « âme » n'existait plus. Je devenais un soldat, un dieu, parmi d'autres, connaissant le pouvoir de sa force, le délire des armes. Je devenais Pierre, celui qui sortirait de son histoire en refusant de mourir, quand, en ce même printemps, tant de jeunes gens de ma génération contemplaient passivement les trous sanglants de leur avenir, de leur histoire, songeant que demain, ils ne seraient que cendres sous les monstrueux nuages qui s'amoncelaient dans le ciel. Moi, pendant ce temps, je me disais : « Toi, Pierre, tu auras une épée à la place du

9

coeur, tu sauras les vaincre tous sans céder à la pitié, toi, Pierre, tu seras fort. »

Ceux qui me regardaient vivre s'inquiétaient de me voir de longues heures, placide dans un fauteuil, quand pendant toutes ces heures, je réfléchissais à Pierre, à Gregg ; je les formais à mon image de plomb, d'acier, je savais qu'eux seuls survivraient à leur barbarie tribale. Je n'avais plus le choix de retourner vers cet autre Pierre des premières années de ma vie, celui à qui mes jeunes soeurs, Sophie, Lisa, avaient dit adieu. « Un être arrogant et froid », disait ma mère, prenait possession de moi, un liquide de feu se répandait dans mes veines : Pierre, le nouveau, Gregg, se préparant à devenir un homme, souffraient de ce trouble aigu, la sécheresse de ne plus avoir de sang. Dans cette modernisation rigide de l'agression à laquelle j'aspirais pour eux, pour moi, nous allions inventer un terrorisme personnel, ardu, qui dépasserait la délinquance et le délit juvénile, nous serions invincibles, jamais plus repentants et solitaires. Ce n'était qu'un rêve devant une télévision qui parlait seule dans le noir, mais un rêve aussi déformé que la sinistre réalité de notre époque : cette réalité qu'on m'avait voilée si longtemps, dans la douceur et le confort.

Les hommes, me disais-je, fabriquent des armes, forment des armées, ce sont des géants, eux seuls possèdent ce don de l'anéantissement de la terre, le secret de son extinction rapide. Il faut les suivre, car ils seront toujours les plus forts. Auprès d'eux, on a la certitude que jamais ils ne changeront, ne dépériront sous la main de l'agresseur. Toi, Pierre, que fais-tu ici, près d'un père qui te parle d'écologie, de ces êtres, ta mère, tes soeurs, attardés à des subtilités qui n'atteindront jamais la cruauté magique de l'homme, sa primitivité de géant sombre et destructeur qui est aussi la tienne ? Pierre, tu es comme ces hommes, tu dois leur ressembler, songe à Gregg, il n'a que dix ans aujourd'hui c'est un garçon, un homme, et il contemple l'aube de son siècle, son siècle crépusculaire ou désertique, tu en connais déjà toutes les couleurs hantées, avec des poings, un coeur d'acier. À l'aube des temps, les hommes, ces titans, ont ainsi longé les bords d'un ciel étendant partout son deuil, de leurs silhouettes noires et déchiquetées, dressés les uns contre les autres, pour ce combat, la rage de l'existence.

Qui était Gregg ? Je l'avais aperçu, un soir d'été. Il était musclé et dur et portait, écrit au dos de son chandail, ce prénom, Gregg, oeuf d'acier sans palpitation, sans battement interne ; je le suivais du regard pendant qu'il jouait dans la rue. Soudain, sans raison, il se mit à battre sa soeur, dans son oisiveté. Cette enfant innocente ne comprit pas la détermination de ce frère hideux, mais ce geste de fureur et l'injuste colère qui scellaient les lèvres de Gregg n'étaient-ils pas ses premiers gestes épiques, dans un monde où ne survivraient demain que les monstres et les géants ? On m'avait appris à être loyal, protecteur auprès de ceux qui suscitaient en moi trop d'élan et de force, je n'avais jamais battu Sophie et Lisa, mais l'agressivité de Gregg éveillait en moi d'ancestrales clameurs sauvages, j'étais Gregg, la violence était la seule réalité, le fondement de ma vie. Je ne rêvais pas devant la télévision, comme le disait ma mère, je regardais dans les yeux ces hommes qui seraient mes modèles, je comprenais peu à peu que dans la servilité de mon éducation, je ne les avais jamais observés auparavant, car on nous avait longtemps interdit de regarder la télévision à la maison. On nous amenait souvent ailleurs « loin de cette civilisation dégénérée », disait mon père, vers des paradis où, sans repos, j'épiais inconsciemment la trace du barbare, dans

11

un décor de fleurs et d'eau, car l'empreinte du guerrier triomphait partout. Même dans ces régions les plus reculées de la terre, l'homme surgit soudain, plaît et terrorise, parfois sous un air de banalité sans malice. Lorsqu'il propose une marque de cigarette dans un message télévisé, avec la cigarette qui semble se dégager, compacte, du vert paquet vers le ciel, c'est lui toujours lui qui est présent, c'est lui, muni de sa cigarette qui rappelle à ceux qui l'oublient qu'il est le créateur d'obus, d'engins légendaires ; la cigarette n'est que sa douceur permise, atténuant un peu sa méchanceté, et je pensais, regarde, Pierre, les Alpes sont là, derrière l'homme qui fume avec insouciance. Il enveloppe la majesté des montagnes et lorsqu'il le faut, le silence du désert. C'est lui, ton semblable, multiple et souverain, il fume sans angoisse et ceux qui te parlent de génocide croient épouser la sensibilité du monde, dans l'idée toute féminine, féconde, en apparence généreuse, de te sauver en te transformant, de t'avilir en te privant de ton autorité. — Mais toi, tu es Pierre, tu es Gregg, hâte-toi de mutiler ceux qui cueillent des fleurs, devant la maison hospitalière, car tu dois exister par la force, la force seule.

Ma mère me demandait pendant que je réfléchissais ainsi, pourquoi mes traits se durcissaient si tôt. Je sortais de ma poche ce paquet de cigarettes que fumait le héros des montagnes et des mers, celui que l'on voyait partout ; j'étais viril comme lui, je fumais amplement dans l'air du soir, cet air qui était le mien et que je pouvais enfumer de toute la toxicité de mes vices, de mes plaisirs, de mes inventions meurtrières, cet air qui était le mien, quand tous l'ignoraient à mes côtés. Les autres vivaient dans l'utopie forcée de leurs désirs, ils refusaient de comprendre dans quelles jungles nous allions bientôt cohabiter, divisés tous en tribus, en armées, mais moi je serais réaliste, j'aurais une pensée précise, sans nuances, la certitude de ma propre réalité sur cette terre. J'irais vers une peuplade d'êtres indistincts, dépouillés d'intelligence. Je partagerais avec eux le culte de leur force, la force inéluctable de chacun de ces cerveaux endormis mais puissants puisqu'ils étaient mâles. N'était-ce pas un cerveau net et calculateur qui gouvernait tous les mouvements de l'anodin fumeur au pied des Alpes, n'y avait-il pas ce même cerveau et ses calculs sous le masque de cette publicité qui paraissait si peu durable, un souple cerveau qui imposait l'empreinte éternelle que Gregg recevrait ? Demain, il apprendra à fumer comme ce modèle qu'il a vu si brièvement, il deviendra lui-même cet homme, la densité de son expérience de solitude, de maîtrise de l'univers : Gregg assistera à l'aube de son siècle à un déploiement de forces telles que nous n'en n'avons jamais vu dans notre histoire. Des armées entières domineront ceux qui n'apprennent pas à résister dès aujourd'hui, me disais-je, et ma tête bourdonnait, pendant qu'une fumée bleue, légère, sortait de mes lèvres. Qui sait ? En disant à Gregg comment agir selon les principes d'une dureté austère et défensive, n'allais-je pas être le plus utile des hommes ?

Depuis que je remuais ces idées, je ne mendiais plus mon isolement, on me laissait seul. Je pourrais me vêtir de cuir noir, acquérir la motocyclette liée à ces phantasmes de destruction ; rien ne m'arrêterait plus désormais : la télévision, les hommes, seraient mes seuls maîtres. La gloire de la force avait été souvent exaltée, mais en ce printemps 81, n'étais-je pas le seul, dans mon milieu social, capable de saisir combien ces idées étaient équitables et fertiles ? Cet instinct de la tribu vengeresse, Gregg et ses frères en étaient déjà doués, cette fureur des ghettos noirs ou blancs. Dans les rues de Brooklyn ou ailleurs, une bande de loups rôdaient ne rentrant chez eux que pour dormir quelques heures sur un matelas sale. Gregg qui n'était pas pauvre, dormait dans un lit propre, comme je l'avais fait moi-même à son âge, mais ses pensées encore informes étaient brutales, l'homme de l'avenir se reflétait déjà en lui, dans sa démarche à la fois molle et arrogante, dans ses gestes lourds d'enfant nord-américain trop nourri. Demain, il irait parmi les siens dans les rues de Brooklyn ou ailleurs, il volerait, défoncerait les voitures. Le vendredi soir, les villes ne seraient pour lui soudain que des zones de guerre, de terrains de jeux, de pillages, il serait le héros de ceux qui avaient rejeté les prénoms, les noms, et les lieux de leur naissance, eux qui n'étaient plus que les animaux ou les insectes de la Jungle : Oeil de Serpent, Le Tigre, l'Homme Araignée. Il serait, lui, Gregg, le chef de tribu de ces enfants déguisant sous la fantaisie criminelle de leur révolte ce méfait qu'ils pourraient bientôt commettre librement, l'homicide de la société, son assassinat...

Au souvenir de Gregg, du pli de sa bouche défiant le ciel, se mêlait le souvenir de ma haine lorsque mes parents me donnaient des livres : ils oubliaient combien j'étais hostile à la lecture. Cette même hostilité, je l'éprouvais ausssi lorsque j'entendais la voix mélodieuse de ma mère ou les grincements du violon de mes soeurs, pendant les leçons qu'elles recevaient de ma mère. Dans cet univers où je vis, je n'entends que les sons d'une démence incendiaire, cette musique — leur musique — vient d'un autre monde et ne provoque en moi qu'une futile paresse, trop de douceur en cet espace où les échos sont de métal. Parmi tous ces livres, il y eut un jour l'histoire du jeune Werther, un héros vide, me disais-je. Qui était Werther auprès de celui qui pourrait aujourd'hui devenir possesseur d'une ville, d'un continent, dans l'organisation de sa propre barbarie ? Werther n'avait-il pas nié tout ce qui viendrait après lui ? Mes parents étaient coupables, car ils savouraient ces sons d'une musique qui ne parlait que du ciel et jamais de nous, les barbares et les sauvages. Je les abandonnais à leurs célestes rêveries qui avaient été celles de bien des générations avant eux et je leur ferais découvrir qui était Werther lorsqu'il avait seize ans en 1981. Ce printemps d'acier qui leur inspirait tant de craintes silencieuses. Je sentais qu'ils préféraient le retour à Werther, ce noble visage où ne se figeait aucun crime, aucune vilénie, alors que ce nouveau visage qui était le mien, ils ne l'observaient que de profil et dans une peur révérencieuse.

Mon image ancienne se dissipait enfin, je me brouillais pour eux comme une eau trouble et ils ne voyaient plus mes yeux sous mes lunettes miroitantes que je n'enlevais plus. J'étais obscur. Dans cette nuit que j'avais creusée, seuls ces faux yeux brillaient, on ne voyait plus de moi, de mon regard qui s'était retiré, que cette surface aveuglante et trompeuse, dans son miroitement. Comme chez ces héros de l'espace dans mes films préférés, les deux diamants de mes yeux scrutaient de loin mes ennemis et jetaient autour de moi d'étranges maléfices. Ces héros ne sont que le bruit du ciel, la présence de l'homme de feu dirigeant ses missiles d'une planète à l'autre. La terre en bas est détruite, quelques rochers l'habitent encore, un arbre déraciné tourne dans le vent, mais ce paysage, les yeux aveugles de mes modèles ne le voient déjà plus. Ils ont la foudre, le rayonnement de vastes incendies, et cette science du miroitement qui m'éblouit. Une faible végétation continue de pousser sous les bombes. « Tous les mondes doivent être détruits, disent les héros sans âme, même les plus cachés » et ils semblent dire à Gregg aujourd'hui, comme à moi hier « toi qui nous observes dans notre course pesante à travers l'espace, dérobe à ceux qui te voient la vulnérabilité de ton regard, que les étincelles de tes yeux soient dangereuses, aveuglantes, mortelles, ainsi tu seras le rival dont nul n'attend la venue ». J'avais eu les cheveux très longs. Ce délabrement n'était plus pour moi. J'étais raide, sec. Mes cheveux désormais coupés ras répugnaient à tout contact facilement sensuel ou empreint d'une hystérique tendresse comme en éprouvent souvent les parents pour leur progéniture, ou les soeurs envers leur frère, dans des taquineries irritantes et sans fin. On ne pouvait plus me toucher et je sentais que cette fructueuse terreur que je voulais tant inspirer commençait à naître dans l'acidité de mes gestes, sous ma musculature solide écartant chacun comme un mur, dans l'ascétique uniforme de moto-cycliste que j'avais choisi, lequel déplaisait tant au raffinement naturel de ma mère et de mes soeurs.

Dans mes rares discussions avec ma mère, je la poursuivais encore de ma logique inexorable : qui seraient Werther, Rimbaud et tous les autres aujourd'hui ? Ils reviendraient, lui disais-je, du Liban, avec des cargaisons de cocaïne, iraient réfléchir en prison, réfléchir à cette idée qui était la mienne, la force. Comment la maintenir, comment éviter d'être tué de façon basse et mesquine ? La force, c'était là la seule confrontation vraiment nécessaire avec le monde, les hommes, tout le reste serait peu à peu balayé par la dégradation, la misère et la famine. Aujourd'hui, on eût livré le pieux Werther aux meurtres, aux pillages des loups, des léopards, des serpents des villes. L'Homme Araignée, Gregg, côtoyaient les héros, les poètes défunts, en les étouffant de leurs traîtrises tragiques, car c'était cela vivre ! Qui donc m'avait appris à penser ainsi, demandait ma mère, oubliant que je pensais et vivais bien au-delà de ce que nous enseignaient nos professeurs, qu'à l'ère moderne, on franchissait seul ses étapes, que le siècle de l'ordinateur était déjà le mien, que j'étais une créature de la science anticipée qu'on appelle de fiction, sauf que j'étais réel, et absorbais tout mon code comme un robot, que là où mes pieds de fer se poseraient demain, la vie terrestre, celle des champs, du blé, que toute cette croissance vivante serait minée, brûlée. La télévision, la science me le prouvaient tous les jours, mon apparition sur cette planète, comme celle de mes pères, de mes frères, serait parfois celle du robot néfaste que je voyais dans mes cauchemars brûlant tout sur son passage et écrasant le visage des petits enfants sous le martèlement de ses pas.

Cet être c'était en miniature l'homme qui fumait, des dômes de glace prolongeant sa forme, son élégance, l'homme dont la cigarette pesait plus que les Alpes, celui qui souriait aussi au volant de sa voiture décapotable, une femme à ses côtés, géant futuriste qu'on avait vu autrefois surgir des cavernes. Aujourd'hui, sociable, gracieux, courtois, au volant de sa voiture neuve ou se délassant avec une cigarette dans un paysage de montagnes, c'était lui, le barbare, tenant toujours notre histoire entre ses mains fermes et persévérantes, nous souriant de son sourire calculateur, nous souriant, à Gregg et à moi, en disant : « Il faut me ressembler ou périr. » Ce même barbare défilait seul ou avec sa tribu, sur les highways de Californie, plus près de moi parfois dans les rues de ma ville où les attroupements de motocyclistes étaient compacts, cernés de mystères qui agitaient mes sens lorsque j'étais enfant. J'avais su que je rêvais de ces montures m'emportant au loin, dans la vapeur des routes, mais souvent, les routes, les villes disparaissaient et je contemplais seul ces conquérants et leurs machines sous le noir soleil. N'étaient-ils pas les rois du monde sur ces machines brillantes et froides dont les roues foulaient les plages interdites, défrichaient les forêts, n'allaient-ils pas tout envahir de leurs cris, du fracas de leurs lois, même cette virginité des terres dormantes que l'homme tentait encore de préserver ? Ces conquérants étaient sombres, huilés comme leurs machines sous leurs casques lourds ; on ne voyait plus leurs yeux, on n'entendait dans le silence apeuré de l'après-midi que le bruit de leurs armures de fer se posant sur le sol. Ils étaient là, tout se taisait autour d'eux dans la torpeur de l'été, rien ne frémissait plus, aucune plante, aucun oiseau ne chantait, ils étaient là, suant sous le chaud soleil, et ma mère qui me tenait dans ses bras, me disait, « ne les regarde pas », mais il était trop tard. Ces hommes étaient déjà mes semblables, nous ne formions qu'un seul être tranchant et vivace, nous allions tyranniser ensemble la nature, la vie, et c'est bien en vain que ma mère me couvrait les yeux.

Ainsi venaient vers moi à la télévision, cette année-là, dans des films dont ne se dissipait plus la honteuse mémoire, les visages aux traits fins d'une jeunesse hitlérienne qui remontait de l'abîme avec l'âge des vautours. Cette jeunesse n'avait-elle pas germé en moi, en Gregg, pendant que nos mères nous portaient ? N'étais-je pas malade de la violence que je pouvais inspirer ? Les motocyclistes qui venaient de Sacramento stimulaient ma peur, ma faiblesse, dans cet être appauvri que j'étais alors, inséparable de ses parents, humble et frêle, broyé, semblait-il, par les muscles d'une virilité étrangère qui serait demain la mienne. Comme Gregg, je devrais un jour céder à cette force qui me maltraitait déjà si rudement. Je me demandais si ces garçons graciles avaient un jour éprouvé, en ces temps anciens où ils étaient encore dans les vras de leurs mères, le dégoût d'une violence dont ils seraient demain les maîtres, si leurs frais sourires s'étaient éteints pour toujours, désabusés, vaincus, par la pensée de cette malédiction virile qui pesait sur eux ?

Le soleil est brûlant et Gregg longe la rue de son pas mou. Soudain, il happe sa soeur par les cheveux et la secoue en riant. Qui pourrait se douter que ces deux pulsions battent en moi, sous ma peau blanche et rose, la sexualité et la mort, pendant que je regarde les motocyclistes de Sacramento qui avalent goulûment de la bière chaude, au soleil ? Misérable enfant, qu'attends-tu donc pour venir nous rejoindre, semblent-ils me dire, avant de repartir dans des vrombissements aigus, leur casque retombant sur leur front gras et sombre. Moi aussi, je porterai un jour leur tête meurtrière. Plus tard, lorsque je glisserais dans le vacarme des motocyclistes, parviendrais-je à me comparer à ces êtres hirsutes et sales, titubant parfois dans leur ivrognerie ?

Leur jargon, leur aspect n'étaient-ils pas un théâtre de vulgarités, comme le disait mon père ? Mais, comme moi, ils étaient encombrés de ces grises obsessions de la sexualité, de la mort, sans lesquelles les hommes ne peuvent vivre. Ils n'étaient que des jeunes gens de villages, de paroisses, jouant avec leurs motos.

En eux vivaient déjà les spectres des hommes de demain. Certains avaient déjà rejeté les études pour l'armée, ce qui les rendait à mes yeux dépositaires d'une violence manifeste ; aucun n'avait acquis cette solide organisation de pensée qui était la mienne et ne me servait à rien sinon à réfléchir au jeu de la force autour de moi. Ils ne semblaient pas pouvoir penser ou réfléchir. Leurs pieds, leurs mains, leurs cerveaux aussi, menaient une vie harmonieusement végétale qui m'étonnait, de la rue à l'armée, leur langage bâtard confirmait que la violence était le seul souci de ces opprimés qui n'avaient pas reçu les privilèges de mon milieu. Les mots qui tombaient de leurs lèvres grossières, ils les avaient appris pendant des exercices, en se vautrant dans la boue, au son d'une détonation souterraine qui ferait exploser le monde peut-être. Doigts plébéiens, âme sans pensée, ils étaient malgré tout guidés par leur mission sacrée, celle de la guerre. Le cerveau de la guerre était là qui les animait pendant qu'ils rampaient dans la poussière. Leurs mots, c'étaient, fusils, mitrailleuses, toute une cadence de projectiles dont ils entendaient les bruits, dans les entrailles de la terre. De leurs faces ravagées, des mots accouraient haletants, « demain, oui, nous tuerons ».

J'écoutais ces recrues lamentables, j'apprenais que si on les envoyait dans une campagne lointaine, leurs journées de mitrailleurs s'achevaient dans de tendres orgies : ils foulaient soudain de leurs pieds empuantis par la terre, sous leurs bottes, le silence des forêts. Fusils sur l'épaule, les yeux agrandis par l'émotion sous leurs casques, ils reniflaient ce silence, transfigurés. Leurs malingres jeunesses recouvraient des élans de vigueur sous la voûte des arbres fleuris. Chacun suivait seul sa route dans les anfractuosités de la forêt, humant l'herbe, l'odeur des bois et la brusque fraîcheur de l'air. Soudain, ils apercevaient deux campeuses qui riaient et bavardaient dans une clairière, près de l'eau, Candy, Sandy, bientôt la fin de l'innocence ; tout ce qu'ils voyaient, touchaient de leurs mains maraudeuses dans les sousbois, devenait leur territoire désormais, Candy, Sandy ; demain, ils formeraient des commandos de terreur. Aujourd'hui, dans la splendeur de l'été, ils s'emparaient brutalement de Candy, Sandy, avec l'odeur de la mousse, le repos de la clairière, sous la piqûre des mouches, ardente et brève. S'écroulaient massivement sur les fleurs l'uniforme de soldat, le casque, les bottes, car l'envahisseur était là et nul ne l'avait entendu venir.

Eux avaient saisi les vrais rôles de la sexualité et de la mort quand mon père, lui, avait jugé plus louable de me voir devenir un joueur d'échecs accompli sous sa surveillance, et, dans sa maison, de tuer en moi l'appétit destructeur par ma captivité. Pendant que j'aspirais à l'élasticité des jeux électroniques en face de mon père, je ne volais pas, je ne tuais pas, pensait-il, j'étais le cerveau jouissant d'une vitesse maximale, cela, seul, dans ma chambre, ou avec lui comme rival et le drame du monde se jouait sans moi. Ainsi, mon père interdisait à la maison les jeux simulant la guerre, mais les *wargames* entraient chez nous. La télévision qui les transformait en grandioses performances dont j'étais l'unique spectateur. Pendant que d'autres poursuivaient avec des bouts de carton leurs attaques aériennes, dépistaient les pays et les endroits affaiblis par le feu de l'adversaire, « Les Batailles du Sinaï » étaient magnifiées sur l'écran et j'étudiais à mon tour la complexité de mes stratégies. Ce jeu, qui pourrait me l'interdire puisque sa permanence était constamment visible pour ses témoins ? Je connaissais les virtuosités de l'attaque, et comme dans la simulation des combats aériens sur un échiquier rouge et bleu, j'étais trop préoccupé par mes munitions et mes soldats pour songer à mes rafales de victimes.

Gregg me dépassait déjà dans ces jeux : fils des *wargames,* il ne connaissait que la force du poing et des muscles ; la simulation ne lui était pas nécessaire, le tank, le stock de munitions n'étaient plus des images mais des réalités dont on attendait de lui l'exécution, la sanglante performance. Tous ne gravissaient pas, à la façon de Gregg, les échelons de leur armée : j'observais parfois dans la foule les visages de ceux qui étaient prédisposés à ne pas survivre. Ils ne faisaient aucun bruit. C'était, au bord d'une route, un garçon de treize ans, au teint de pêche, penché sur le sort de cet insecte blessé mais vindicatif, un taon, celui qui suçait le sang des mammifères ; son protecteur l'avait recueilli dans sa main et lui parlait avec douceur. Une autre fois, c'était une fillette qui aidait un aveugle à traverser la rue. Le garçon au teint de pêche, comme la fillette charitable n'étaient-ils pas déjà offerts dans la moisson des futurs massacres, alors que le taon, l'aveugle, déjà familiers avec les lois de la Jungle, survivraient ? J'avais aperçu la fillette et le garçon pendant que je fumais sous un arbre, luxuriant et avide d'air, comme cette herbe que je pressais de tout mon corps. Nul ne remarquait ma présence dans la végétation de l'été et j'éprouvais de la satisfaction à être là, lourd, silencieux, moi dont les pensées avaient la noirceur du charbon, de l'atome. Le châtiment étreignait la vie des justes comme celle des méchants, me disais-je, et au vol d'une centaine de pigeons gris dans le ciel était suspendue la course des chars d'assaut éventrant de boueux nuages que j'étais le seul à sonder du regard, sous la pureté de l'air. Comme il faisait chaud j'avais cédé au sommeil ; des amis de mes parents me conviaient à un banquet avec mes soeurs, elles étaient vêtues de robes de coton rose dont je dénouais les boucles raides à leur dos. Les préparatifs du banquet étaient somptueux, mais les assiettes, les coupes d'argent, sur la table, étaient toujours vides pendant que passaient les heures. En m'éveillant, j'avais pensé que ces coiffures blondes de mes soeurs et de ma mère, la texture de ces noeuds figés à leurs robes, que toute cette élégance convenaient à la stabilité de leurs principes, de leurs idées que je n'aimais pas. Et je comprenais soudain pourquoi : ces familles qui n'avaient rien perdu devenaient dans la peur des prophétesses du bien et, soudain, on les voyait défiler dans les rues, avec leurs bannières, proclamant leur besoin de paix, de prospérité croissante, arrêtant la foulée de l'histoire dans sa décadence. La table du banquet était le lieu dont tous m'avaient banni avec rancoeur, où chacun, chacune avait souri de mes pensées jugées méprisables, quand je savais, moi, que mes yeux étaient grand ouverts sur des réalités plus dangereuses que tous ces cauchemars.

Ils avaient décidé qu'ils ne m'aimaient plus parce que je ne partageais pas leur idéal craintif, baigné d'humanisme. Devenu laid, couvert d'une enveloppe de cuir et volontairement sans cheveux, je décevais leur image sociale encore teintée d'esthétisme. En m'enfonçant dans la réalité terne et avilissante, je leur rappelais leur honte d'être vivants et heureux. Lorsque je jouais encore aux échecs avec mon père c'était dans le silence de la menace. Il voyait s'agiter autour de moi toutes ces ombres et me suppliait sans un mot, espérant encore avec une persuasive douceur me faire renoncer à mes projets. La bande de motocyclistes que je n'avais pas tardé à rejoindre ne le rassurait pas. Mais ce qui l'inquiétait le plus, étaient ma transformation et mon cynisme auprès de mes soeurs qu'il protégeait jalousement, car c'est en songeant à ma mère et à mes soeurs que mon père nous avait appris tôt à aimer la vie en plein air, le nudisme, le retour aux lois naturelles de l'existence. Peut-être devenait-il en ces rares instants notre chef de tribu, le seul maître de notre cellule animale dont la destinée s'enchaînait à celle des arbres, des plantes, des eaux, quand notre vraie famille s'étiolait quelques pas plus loin sans air et sans eau. Comme tant de pères modernes, mon père était un barbare qui plaisait à sa femme, à ses filles. On le voyait, après le bain, enduisant son torse d'une eau de Cologne qui honorait pourtant en lui les vestiges de l'homme civilisé : ce flacon d'eau de Cologne, comme la marque de cigarettes que fumait un inconnu aux pieds des Alpes, ennoblissait mon père soudain promu au rang de ces princes fortunés de la terre qui avant de monter sur leurs chevaux, à l'aube, se couvraient eux aussi de cette eau de Cologne, dont la transparence du flacon bleu apportait jusqu'à mon père l'image de la virilité conquérante et hiérarchique.

Trois cavaliers s'élevaient dans une danse rituelle, lente et vaporeuse au-dessus de la rosée du matin ; les chevaux noirs et leurs cavaliers avançaient au ralenti et mon père songeait à ces loisirs fastueux qui l'attendaient, sous ces visages au rictus maussade. Joueur de polo, sa subsistance et la nôtre ne serait-elle pas assurée ? Sous l'image lisse, flottante des trois joueurs de polo, la forme du flacon se découpait : on y décelait la forme du corps de l'homme, le bouchon doré en était la tête ; en dessous se cabraient sa poitrine et d'inflexibles épaules. Ils étaient là, tout près, ces barbares hautains que condamnait mon père, ils venaient de Menton, de Biarritz, d'Égypte. Ils avaient établi leur nouvel Éden, sans scrupules pour les affamés, en un lieu qui s'appelait la Côte d'Or. Mon père qui était journaliste avait écrit au sujet de ces millionnaires, possesseurs de Rolls Royce, de châteaux, et l'image éthérée de leur bonheur, de leur insouciance sur les plages de la Floride, s'évadait avec le ricanement de leurs sourires. Mon père se demandait parfois si les voleurs, les assassins, qui sait, les terroristes n'envahissaient pas ces plages, ces condominiums, ces terrains de polo. Mais non, se répondait-il aussitôt à lui-même, ces gens-là ne parlaient jamais de politique ou de questions sociales, nul ne venait sur ces plages.

Gregg, Oeil de Serpent et tous les autres, pillaient, massacraient ailleurs. Gregg grandissait dans l'apathie : il s'excitait parfois pour ses héros encore lointains à l'horizon, les Hell's Angels, les Satan's Choice, et ses jeux de guerre, une collection de revolvers que lui avaient

donnée ses parents à Noël, dégradaient en lui le merveilleux acte de puissance, toujours obscurci par le rétrécissement d'une société qu'est une famille. Le père de Gregg avait expliqué à son fils lorsqu'il était encore sur ses genoux l'utilisation de ces petits revolvers en métal, fabriqués en Italie, au Japon, en Amérique, qui provoquaient des remous de stupeur aux oreilles, aux tempes momifiées dans leur silence. Gregg pourrait bientôt molester, harceler, tourmenter ces individus qui n'entendaient rien. Oui, ils verraient bientôt passer Gregg parmi eux, dans le métro, dans les rues à l'heure où tombe le silence de la nuit, Gregg et sa silhouette trapue, Gregg qui pouvait déjà tirer douze coups avec son « Agent Spécial », si authentique, cette arme, qu'elle semblait déjà une copie des pistolets futurs de Gregg, avec son mécanisme aux diverses fonctions, son silex noir et menaçant. Demain Gregg porterait dans sa veste, un bon revolver américain, lui avait promis son père, un Colt ou un Smith. Gregg regardait ces modèles de carabines, de fusils dont il serait demain le maître et ses yeux brillaient d'une envie secrète et incontrôlable. Sa mère lui parlait de Stevie Baby qui, à neuf ans, était un vétéran de la moto en Alberta. Gregg travaillait si mal à l'école, déjà batailleur et rebelle. Pourquoi ne s'acharnait-il pas davantage à la course, aux sauts acrobatiques avec sa minibyke au-dessus des collines, comme le faisait Stevie ? Ces bras, ces genoux écorchés de Gregg, de Stevie, la mère de Gregg les vénérait comme des blessures de soldat, elle imaginait son Gregg, écartelé comme Stevie Baby sur deux roues fragiles, entre le ciel et les collines de la mort. Gregg, mon garçon, mon homme, disait-elle, en le serrant dans ses bras. Elle connaissait avec Gregg, dans son empressement suave, la jouissance d'être homme comme Stevie, à neuf ans : Gregg-Stevie, un initié de plus à la solitude immunisée des victorieux.

Ainsi vivait Gregg, quand pendant ce temps, ma mère, ses filles, mon père, feignant la modestie, se joignaient à une population qui prêchait le désarmement, s'alliant ainsi à des organisations religieuses et profanes dans le but de nous convaincre, nous, Gregg et moi. Combien je déplorais alors ces élus sophistiqués et leur pélerinage, mendiant à l'avance le pardon du feu dans leur lâcheté. Ne savaient-ils pas que les réacteurs atomiques produits par l'homme allaient en se multipliant, se fécondant seuls, sous l'autorité d'une camarilla supérieure qui, elle, étant celle des gouvernements, ne plierait jamais devant eux ?

Risibles, me disais-je, ces pélerins angoissés qui défilaient dans les rues de Tokyo, Bonn, Paris, tous réunis avec leurs enfants de toutes les races, pour la même contamination de la terreur, et parmi eux, mon père, ma mère, Sophie, Lisa, ces vies sacralisées, croyaient-ils, par le désir et l'amour, ces tendres beautés, Sophie, Lisa, remises sans le savoir au pouvoir de la science et à son imprévisible efficacité. Mes parents disaient comme tant d'autres : « Ne méritent-ils pas de vivre ? » Je les regardais, les écoutais : le soir, ils rentraient chez eux et dînaient comme d'habitude. Après le dîner, Sophie, Lisa, se blottissaient contre mon père pendant qu'il parcourait les journaux d'un oeil contrarié. Chacun oubliait, dans ce cocon charnel, sa psychose de guerre qui se poursuivait. Dehors, ces mêmes femmes, ces mêmes épouses qui militaient une heure plus tôt dans les rues servaient à leurs enfants, à leurs maris, ces aliments radioactifs que chacun avalait, digérait, légumes ou viandes, ces matières infectées étaient chaque soir, sur la table. Le Cerveau industrieux, toujours le même, avait injecté ici et là, comme par mégarde, la leucémie, la coccidiose, une intoxication chimique élevée dont je me récitais la formule, en regardant la télévision.

Car si j'étais un traître dans ce groupe homogène qui allait désormais vivre sans moi, je n'oubliais rien de mes connaissances nouvelles. Je savais que Sophie, Lisa, ma mère, que mon père aimait cajoler et embrasser, contenaient dans leur appareil intestinal, pulmonaire, les taches d'un mal qui pouvait interrompre en elles l'émergence de la vie, donc que la perversité, la sagacité du grand Cerveau exposait les uns comme les autres à des maux incurables. Même ces naïfs parents salutaires qui luttaient pour la préservation de l'espèce n'y échapperaient pas, me disais-je. J'avais autrefois suivi mon père dans son seul répertoire guerrier, la pêche sous-marine et les longues marches dans le désert. Je n'étais plus ce poisson anémique glissant sur son dos, moins encore, celui, si faible, qu'on devait désaltérer dans le désert. J'allais si loin dans les profondeurs des mers, comme un requin, que mon père me faisant soudain face, au fond de l'eau, s'éloignait aussitôt vers le rivage comme s'il eût pressenti que ces yeux, ces dents, ces crocs étaient avides d'une seule goutte de sang dans cette mer si vaste.

Qu'il se délecte seul, me disais-je, à la pensée des paradis perdus, qu'il aille les rechercher, loin du monde congestionné des Blancs, en Afrique, en Asie. La guérilla urbaine est pendant ce temps partout aux aguets, prompte, rompue à tous les vices. En attendant Gregg, 800 000 autres Gregg, plus accomplis, bloquent peu à peu les artères des grandes villes américaines, européennes. Ce qui était hier la Peste est aujourd'hui l'armée de Pierre, la mienne ou celle d'un autre chef, me disais-je, pendant que la fluide silhouette de mon père disparaissait sous les eaux. Lentement, d'un pas atone, 800 000, 900 000 hommes d'un même troupeau, aucun n'ayant atteint sa majorité, marchaient vers les plages de la Côte d'Or, les prairies de l'Éden, où, à leurs balcons, dans leurs serres paradisiaques, des hommes d'affaires buvaient du champagne vers six heures du soir, dans de solennels accoutrements qui rappelaient le plumage des perroquets, quand, en-dessous, de leur chair lavée dans des saunas conçus pour eux seuls, des bains tourbillons, se dégageait le parfum d'une immortalité tonifiante, allégée de tout esprit par les soins d'une extrême hygiène. Les pistolets de Gregg ne contenaient que des balles fausses, d'inutiles amorces qui assourdissaient les tempes des bébés, des vieillards, quand Gregg, moite de sueur, frôlait les murs de sa ville en été. L'empire avançait, sans divisions dans ses rangs en apparence désordonnés, épars, Pierre ou un autre pouvait s'emparer de ces brigades qui étaient partout disponibles, le Cerveau regroupait tous ces groupes d'hommes, d'enfants d'hommes et ces hommes d'affaires qui buvaient leurs cocktails, et dont les corps étaient aseptisés sous leurs cravates à rayures ou à pois, partageaient avec notre guérilla les mythes, les structures que nous imitions dans leur société : dans nos rassemblements, dans nos clubs de motocyclistes, nous avions, comme dans leurs institutions bancaires, un président, un vice-président, un trésorier, des secrétaires ; nous avions la force avec nous l'énergie accumulatrice. Notre royaume était celui de l'homme antique ou actuel, celui de l'homme, des hommes, dont idéalement, les femmes, les enfants qui n'étaient pas des mâles, eussent dû être évincés.

Pendant les mois de janvier, de février, de cette année-là, j'avais pensé aux femmes, en regardant les meurtres capitonnés de l'hiver à la télévision. Une fille, un garçon d'une vingtaine d'années ouvraient le feu dans les discothèques populaires pour briser la cristallisation de l'hiver. Il fallait être deux, ou plusieurs, me disais-je. Dans le métro les maniaques ou ceux qu'on appelait ainsi, les pickpockets fonçaient par dizaines, en bandes, pour leur approvisionnement nocturne. En ces mois de chômage, être deux, c'était s'approprier le titre de duo infernal, comme ce garçon et cette fille, laisser le Cerveau à son imperturbable solitude, car seuls les hommes étaient doués d'une existence tangiblement reconnue, mais une femme pouvait être un outil comme un autre. L'histoire qui avait le plus atterré ma soeur Sophie ces jours-là, c'était celle d'un gamin de onze ans, son jumeau pensait-elle, puisqu'ils avaient le même âge et étudiaient tous les deux le violon, que douze individus avaient un soir sauvagement assailli dans un but absurde, me disais-je, lui dérober son manteau, le déposséder de son violon. On l'avait battu à coups de pieds, avec des chaînes, et pendant que Sophie nous racontait cet événement à table, ma mère m'avait demandé pourquoi je souriais en les observant tous sans rien dire. Sophie nous avait aussi confié, avec son impérieuse candeur, qu'elle écrirait à quelque ministre afin de lui demander pourquoi un enfant se faisait dépouiller de son manteau, de son violon, un soir de tempête. Pourquoi, elle, lui ? La raison de chacun de ces meurtres de notre hiver tranquille ? Et qui était celui qui était coupable de la torture des poulets dans les usines ? Une réponse était attendue, car Sophie dormait mal la nuit. Il est vrai que je souriais en les écoutant, car leur absence de réalisme me déconcertait : je songeais au duo maléfique s'engouffrant dans un taxi après son passage dans les différentes discothèques de la ville. Quelques lueurs rouges sur la neige et on ne les voyait plus. Des fuyards, des héros incommodes, mais deux météores dans le stérile firmament de l'hiver.

J'allais bientôt retrouver Stone : nous serions deux,

pendant quelque temps. C'était le vieux modèle à suivre si je voulais ressembler aux autres chefs : on les voyait, une fille toujours à leurs pieds, polissant leurs bottes, huilant leurs machines, remplissant de hash ces pipes de bois qu'ils portaient à leur ceinture, adhérant à toutes leurs frénésies sexuelles, nuit et jour. Il n'y avait rien à rejeter dans ces peaux moins rugueuses que les nôtres, puisque c'était la règle et que je n'étais encore qu'un novice, un apprenti dans une multitude guerrière en puissance. Stone s'appelait autrefois Lynda Martin, comme l'avaient témoigné ses bulletins d'écolière quand nous n'étions que des enfants. En fugue depuis plusieurs années, elle vivait avec un motocycliste de Daytona, le Vieil Homme. Ainsi le prouvaient les tatouages sur ses seins ; Stone, la propriété du Vieil Homme. Nous serions souvent côte à côte cet hiver-là, pendant une accalmie du Vieil Homme, dans un pénitencier américain, pour trafic de drogues. Stone me parlait souvent des plages de Daytona, des routes, de sa bande, là-bas, cette neutralité de la nature m'exaspérait : ici, le soleil, la lumière, clandestins, de janvier à avril, là-bas, ou dans ces paradis que j'avais connus avec mes parents, les citronniers, les orangers en fleurs, un soleil à vif, outrancier. Je pense à la neutralité de tout cela, car qu'il fasse beau ou gris, seul le monde est en mouvement et incessamment bouleversé et tragique. Tout ce qui gravite autour de lui est cette immobilité qui trompe nos sens, les réchauffant ou les réfrigérant dans l'inaction. Je pensais à Stone : penser à elle, c'était réfléchir à l'objet suprême, le plus dégradé, le plus humilié de tous, celui qui faisait rêver l'homme qui fumait au pied des Alpes ou le princier joueur de polo sur son cheval. L'obsession stratégique de l'homme, c'était Stone, dix-huit ans, les lèvres vermeilles, les cheveux au vent, nue dans sa salopette de cuir noir dont les bretelles étaient relâchées. J'étais perdu dans ce songe qui me semblait soudain purement biologique pendant que ma mère essayait de rassurer Sophie dans la chambre voisine. Ces chuchotements, ces voix puériles gênaient mon silence.

Il est trois heures du matin
il faut dormir
oui
mais cette lettre je te promets je t'aiderai à l'écrire
je la taperai à la machine
mais dors
il neige
ils dorment tous
ferme les yeux
fais un effort pour ton père et moi
il meurt au bout de six semaines
non sept
mais ce n'est qu'un poulet
on en mange dans les pique-niques de l'école
c'est une école expérimentale
pourquoi vous parlent-ils de cela
papa me l'a dit
ils naissent
et puis au bout de dix minutes
on les pique avec une seringue
c'est contre les maladies
c'est normal
je ne vois pas pourquoi cela t'empêche de dormir
la coquille éclate et ils les piquent
c'est pour les vacciner
les handicapés ils ne les gardent pas
prends ton sirop contre la toux
ton père te l'a peut-être dit
il y a des inoculateurs
c'est contre les virus
tu comprends on leur donne

de la pénicilline de la néoterramycine
de grands mots pour toi
ainsi ils croissent plus vite
pour les BBQ toi moi tous les autres en été
quand il fait beau
parfois leur peau est un peu jaunâtre à cause de
l'arséniate
c'est un poison dit papa
il est vacciné donc ce n'est pas dangereux
dors
l'abattage aucun déchet dans la viande
ils surveillent tu sais
aucune chance pour nous de l'attraper
quoi
le cancer
dors
je suis fatiguée
nous ne sommes pas des poulets nous nous vivons dans
une sorte d'immunité
pourquoi
parce que nous sommes les plus forts
tu vas dormir maintenant
pour papa et maman
tu vas fermer les yeux
oui
et
nous n'allons plus t'entendre
bonne nuit

Le langage de mon père ou de ma mère, lorsqu'il s'agissait d'endormir Sophie, était celui de la persuasion euphorique. « Dors, mon chaton », murmurait-il, en posant sa main sur la tête de Sophie, appuyant au fond de l'oreiller Sophie et sa ridicule poupée au nez plat dont les cheveux de laine étaient tressés comme ceux de Sophie que ma mère avait rarement le temps de

dénouer.
Nous vivons dans un monde merveilleux que nous
connaissons à peine
que sais-tu toi des bergers du cercle polaire
rien papa rien
je parle et toi tu fais de beaux rêves
de l'univers des abeilles
de leur perception des couleurs
tu ne sais rien
non rien papa
dors je parle
la douceur des carnassiers les plus cruels
la lionne auprès de ses lionceaux
j'ai vu ça dans mon livre avec les abeilles
les bergers du cercle polaire
les Lapons qui mènent aux pâturages
en été
leurs troupeaux de rennes
tu ne connais pas encore les régions montagneuses du
Cachemire
de l'Inde
du Népal
les tigres les rhinocéros comme dans mon livre
je t'ai dit de ne pas ouvrir la bouche
tu sais il y a un lieu qui s'appelle la vallée heureuse
où cela
très loin où poussent des nénuphars
il y a des ascètes
des moines
des hommes qui sont des princes de la pensée de
l'esprit
jour et nuit ils pensent à ton destin
au mien
à celui de ta mère

et que font-ils
ils réfléchissent pensent ils sont sérieux
mais cela ne sert à rien
mais oui tout est utile même ne rien faire
mais il faut croire au respect de la vie
les tigres du Bengale les rhinocéros
bien sûr
ils vivent dans des temples
le chant des dauphins
les cerfs
les aigles
un monde que nous ne connaissons pas
évidemment j'aurais pu vivre dans un temple comme eux
moi aussi
mais je ne vous aurais jamais connus
toi Pierre Lisa Sophie Maman
alors je préfère être avec vous
chacun choisit sa vie
les loups
les coyotes en Alaska
le renard des neiges
on se demande parfois s'il vaut mieux agir ou se reposer
réfléchir
ils prient beaucoup
je ne pourrais pas moi
le hibou planant sur ces espaces de neige
tout cela t'appartient
c'est le cadeau de Sophie
jusqu'à
la fin de tes jours
la traite des bêtes sauvages
le trafic d'animaux
il faut dormir
ils viennent de très loin tu sais
ces bergers du cercle polaire

je les ai rencontrés
en été
ils mènent leurs pâturages
doucement
tu ne m'écoutes plus
dors
mon Dieu

Mon père retournait à son lit. Il était calme. Peut-être, nous dirait-il le lendemain en préparant les céréales du petit déjeuner pour ses filles qu'il dorlotait, « tu sais, Sophie, la Vallée heureuse, ce n'est pas très loin, comme je te le disais hier soir c'est ici, c'est chez toi, chez nous ». Car sa foi profonde en la vie ou ses nostalgiques complaisances le privaient de cette vision si concrète rivée à mes yeux : celle de présidents, ou d'un seul président parmi eux, vivant avec un sinistre valet qui le suivait portant une mallette noire qui contenait une clef. La clef des grands massacres, de la révolution inerte et sans écho de l'ennemi, la synchronisation de tous les deuils, de tous les crimes, en un seul geste, une clef qui tourne dans la main d'un seul homme, ouvrant toutes les portes de l'avenir, un seul homme enfin divinisé par sa toute-puissance dont l'idolâtre passion accueillait le néant.

Le viol de Stone, l'attaque, la prise de possession de Stone par les barbares, ceux qui m'avaient précédé, ou le Vieil Homme qui avait fait d'une jeune fille droite une fourbe enfant dont la légèreté était sans consé-quence. Ces abus consentis m'intéressaient moins que tous ces objets, ces objets-otages autour de Stone, de sa vie, de la nonchalance de son corps qui avaient tous inconsciemment cédé les uns après les autres, comme Stone, sous le poids d'un homme, à notre violent despotisme lequel devait être maintenu partout, même dans ces rêves de mollesse que nous échangions avec les femmes que nous avions l'air d'aimer. Je regardais Stone, colorant ses lèvres de rouge, je me disais que ce bâton de rouge dont elle se servait était le symbole de notre sexe diminué. Soudain, sans lourdeur elle touchait cette surface charnue et délicieuse. Les journaux, les revues, la télévision, nous offraient chaque jour le visage tout entier de Stone, avec ses yeux éperdus mais glacés sous de longs cils artificiels et la satisfaction de ces deux lèvres roses, luisantes de sensualité qui semblaient frémir sous de fines gouttes saliveuses ; ce n'étaient pas ces lèvres que j'embrassais ou tenais entre mes dents mais l'objet façonné par l'homme, sa possession tant de fois polie, métamorphosée, pour des raisons publicitaires, ces lèvres dont il était l'inventeur, qu'il broyait entre ses dents comme un fruit lorsqu'il n'était pas lui-même ce fruit paresseusement tendu, réduit, afin de se rendre plus aimable, car tous le verraient, ainsi suspendu aux lèvres d'une femme : pour les enfants, les grandes personnes, il serait noble et décent.

Deux amants rentraient un soir du théâtre dans un riche appartement de New York. La télévision habile cachait les amants ne montrant qu'une paire de chaussures délaissées au pied d'un escalier de marbre blanc. Gregg, Oeil de Serpent, comme moi, humant les lèvres de Stone, savaient que les amants étaient en haut dans quelque pièce somptueuse, étendus sur un tapis de fourrure, près de la cheminée. Seules les chaussures de cuir souple, dépourvues de tout caractère, signifiaient encore, comme les lèvres de Stone qui n'étaient plus les siennes, le viol et l'enlèvement qui venait d'avoir lieu dans cet appartement. De ces chaussures importées d'Italie, la femme était absente. Seul le défi masculin semblait nous dire encore : « C'est vrai, elle dort maintenant, voyez ces pieds, ces chaussures frivoles. Eh bien, ils sont à moi, comme tout le reste de cette personne. » Les crèmes de maquillage, d'épilation que transportait

Stone dans son sac à dos, me disais-je aussi, étaient l'inondation prudente, odoriférante de notre sperme sur la virginité de ces visages qui luttaient pour nous, contre la vilénie de l'âge et son impudeur. « Je ne suis ni vieille ni laide, moi », disait Stone, dans son enjouement naturel et elle aimait s'enrober de la substance âcre du Old Man, le sien, oubliant qu'elle était trempée de cette sueur de fatigue, d'amertume, que traînait avec lui, non pas son Old Man qui était si jeune encore, mais le Vieil Homme de notre civilisation qui aimait regénérer ses tissus et ses glandes de ces crèmes malicieuses, exorcisantes, dont Stone fanait son visage.

Le Cerveau dictateur n'exerçait-il pas en toutes circonstances son magnétisme, même lorsque Stone utilisait une serviette sanitaire ? « Liberté, annonçait le Cerveau, tu peux me prendre et me jeter », mais en réalité, n'était-ce pas lui qui venait prendre, recueillir le sang de l'utérus ? La forme de la serviette n'avait-elle pas la forme de sa main bienvaillante, discrète ? Parfois cette main était délicate, mousseuse comme un nid, cette main ne pouvait serrer de plus près ces giclements d'ovaires, ces jus secrets. Il écoutait ce tiède écoulement, il était là, semence endormie dans le corps de Stone, il se contenait lui-même, il était l'origine de la vie. Le Vieil Homme écrivait à Stone de prison, qu'on l'avait mis au trou noir. J'avais provoqué une mutinerie. Lui et quelques pensionnaires avaient détruit des vitres, des toilettes, tout un ameublement dans cette vie d'incarcération qui allait être si souvent son habitat. « *I miss you, Sun Baby*, écrivait-il, d'une écriture illettrée, *sitting behind your Old Man like a dummy going along for the ride* » et Stone pressait contre le tatouage de ses seins les t-shirts du Vieil Homme sur lesquels on pouvait lire : *White and Proud of It, Screw Imports, Buy American, Evil, Wicked, Mean, Nasty*, c'était l'oeuvre de Stone de sentir sous ses doigts, dans la caresse de ces t-shirts crasseux, l'apaisement de ces quelques ecchymoses dont le Vieil Homme avait souffert, lors de la mutinerie. Soudain, il était là, lui, sa barbe, ses longs cheveux, son torse vigoureux, un bouc, mais je n'hésiterais pas à porter ses t-shirts sous ma veste de cuir : l'image d'une tête de squelette, sous ma tête vivante, mais rasée, *Till Death Do Us Part,* accentuait la bassesse et aussi la gravité de mes premiers rôles mâles. Avec ou sans Stone. Les mots étaient délivrés impétueusement de mon corps massif : *Fuck Up with the World,* disaient-ils, je suis fier d'être blanc, et Lisa me repoussait de ses poings frêles en disant : « Tu es comme nous, mais tu veux seulement nous faire peur, tu es notre frère, dit maman. »

Ce que mon père avait interdit chez nous, l'intoxication des *wargames* sur l'écran familial, j'en avais la fresque périmée sur mes t-shirts avec des slogans désormais racistes, donc, pour les miens, visuellement insupportables. Mais n'étais-je pas juste puisque je reproduisais la pensée d'une majorité cosmique, celle des hommes, de leur stupéfiante virilité ? Pendant que je me distrayais avec Stone à l'arrière d'un camion défoncé, un tas de ferrailles que nous avions trouvé au bord d'une route, la neige de février, son odeur funéraire, ses replis, gagnaient la ville : on ne savait à quel moment nous allions soudain nous élancer, nous aussi, comme le duo illuminé dans cette morne nuit. Quelqu'un, une main muette, déposait des millions de tonnes de rebus radioactifs d'une mine, sur les berges d'un lac. Rien. On ne pouvait rien entendre. Le printemps, le départ sur les routes étaient encore au loin. Pourtant, à Milan, les Brigades rouges avaient assassiné le directeur de l'hôpital polyclinique. « Encore du sang versé », avait dit mon père, qui écrivait, écrivait. Les meurtres, les tortures au

Guatemala. Verser du sang était condamnable. Oubliant parfois Stone ou la tenant dans mon étreinte transie sans la voir, j'écoutais cette télévision qui ronronnait dans la nuit. Le Cerveau parlait de ses théories décisives : parfois c'était un Cerveau qui n'avait pas de tête, un homme sans tête et dont seule gesticulait la forme. J'avais compris moi-même qu'il était vain bien souvent de posséder une tête dans l'expression de ces théories du Cerveau, et souvent, deux épaules voûtées, un mesquin profil de vieillard suffisaient à évoquer la virile carapace qui s'adressait ainsi à nous :

Mes amis, moi aussi j'aime ma maison, ma femme, mon jardin, mon ranch, mes chevaux, toute la Création de Dieu. Comme vous, les petits, je lis les bandes dessinées, mes joues sont ridées, mais je suis sec et rose, sans vieillir. Mon coeur est celui d'un enfant, avec ces armes tactiques.

Oui, je n'ai pas le choix, essayez de me comprendre, c'est à vous que je pense, à votre avenir. Nous y arriverons, oui, à la paix : la bombe à neutrons n'est pas une bombe. Non ! Ses radiations sont mortelles mais elle laisse tout intact, vous retrouverez intacts votre maison, votre chambre, votre lit, la table de la cuisine, même les ustensiles et jusqu'à votre verre de lait que vous aurez eu le temps de boire
à demi

Let's kill them all, murmurait Stone, à mon oreille, elle se levait, rattrapant d'une main ses bottes, sa veste en peau de mouton, celle de son Old Man sur laquelle nous dormions, parfois. Nous avions le temps d'entrevoir dans la pénombre du salon le navrant arbre de Noël argenté dont les branches s'éparpillaient autour de ma mère, de mes soeurs, absorbées par leurs leçons.
Un diminuendo
doux plus doux
as-tu remarqué

les notes sont brèves maintenant
oui recommençons
je le dis souvent à mes élèves
des modulations des nuances
diminuendo
c'est tout cela à la fois
maintenant tu peux recommencer
toi aussi
Lisa
nous n'avons pas défait l'arbre de Noël maman
les chats sont dedans
concentre-toi
ne pense pas toujours à autre chose

C'est ainsi, me disais-je, que la foudre et sa nappe de cendres viendront un jour surprendre ces visages inclinés vers leur violon, ces fronts studieux de ma mère, de mes sœurs, dans un diminuendo qu'elles n'entendront pas venir, sous un arbre de Noël en une seconde noirci, carbonisé, comme leurs os, aussi instantanément dégarnis, et fondus. Vite, nous allions dans ces rues, toutes les mêmes pour nous, comme Oeil de Serpent, Little June, Cool Boy, dans les rues de Brooklyn. Toutes étaient nos zones de rébellion, de guerre, disait Stone, en sortant un couteau de sa poche. Même les jeunes gens, punks ou autres, nous ne les aimions pas : certains venaient vers nous sans méfiance, préférant la mendicité dans une température de vingt sous zéro à la fadeur du giron bourgeois. Plaintifs, ils se comportaient, eux et leurs familles, comme les Christ de l'an 2000, sous leur couverture pelée. Un bébé au sein de la mère, ils vous tendaient leurs mains givrées, disant qu'ils avaient longtemps roulé leur bosse, qu'ils arrivaient d'Amsterdam où la drogue circulait librement, mais que dans notre pays civilisé on leur défendait de mendier avec leurs enfants. Chacun, chacune, était pour nous l'ennemi, le paria, même ce garçonnet de cinq ans qui nous regardait d'un air farouche et dont les joues étaient couleur de cire sous son chapeau de clown, ouvrant sa petite main, dans l'air glacial, disant : « C'est pour mon papa, maman, le biberon de ma sœur. » Stone ne tarderait pas à lui lancer des boules de neige, nous allions voir s'envoler le ridicule chapeau dans le vent car c'était cela être affranchi, indépendant, c'était ne plus rien éprouver, ressentir à la façon du Cerveau sans tête qui expliquait ses théories à la télévision. Eux aimaient ces coups, ces mortifications, ils avaient lu la Bible, disaient-ils, pressentaient la vérité qui conduit à la vie éternelle, n'étaient-ils pas là pour subir nos injures ; leur fils, oui, serait le fils sacrifié de l'an 2000. Avec quel mépris je les toisais, eux et leur aigre bonté sainte ! Si Satan était le dieu de ce mauvais monde dans lequel nous vivions, comme ils le disaient, le sang de plusieurs de ces Christ qu'ils avaient conçus ne laverait jamais demain ou en l'an 2000 les fleuves de ce sang pourpre désormais invisible dont la terre était ensemencée, car cette venue du Royaume de Dieu qu'ils attendaient, ce n'était, depuis des millénaires, que ce règne visible, irrésistible, de nos armées qui peu à peu occuperaient toutes les nations, extermineraient tous les peuples.

Pendant que nous rôdions dans la nuit, la nuque prise dans l'étau du froid, munis de nos molles munitions, un couteau dont nous n'allions pas nous servir, quelques boules de neige lancées dans une bande de convertis, les Têtes Rasées, provoquaient déjà des émeutes dans les rues de Londres. Ils nous devançaient, ces commandos bruyants mais sûrs qui allaient vers leurs cibles, les immigrants, les Indiens. Nous n'étions que des insulaires, quand eux appartenaient au Front national néo-nazi, ils étaient la terreur des stations balnéaires comme celle des ghettos pakistanais et nous étions là, fébriles, mais l'âme paralysée par le froid. Je pensais aux espoirs tyrannisés de ces réfugiés débarquant par centaines de leurs bateaux, de leurs avions, sur leurs terres d'accueil ; n'avaient-ils pas oublié dans leurs rêves qu'après toutes les guerres, toutes les déportations, nous serions là, nous, les agresseurs des années 80, les Têtes Rasées, Skinheads, nous, Pierre ou Stone, Stone dont les pas étaient feutrés par l'épaisseur de la neige ? Pourquoi n'avaient-ils pas prévu, eux qui avaient tant souffert, que notre devoir était de survenir ainsi dans leur destin tel un fléau, car seule la force était aujourd'hui obéie et respectée — force de l'homme colonisateur qui les avait déjà tant frappés. Demain, Gregg et les siens iraient sans scrupules, avec leur habituelle nonchalance, dépouiller de leurs vies, comme de leurs voitures de sport ou de leurs clefs d'appartements, les calmes millionnaires, dans leur éden. Pauvres ou riches, tous seraient atteints, indifféremment : celui qui languissait en buvant du champagne au bord de sa piscine, sur la Côte d'Or, comme cet autre qu'on piétinerait dans un terrain vague en l'appelant *black bastard*. On eût dit que l'irrépressible Action nous attendait, nous liant tous les uns aux autres dans cette communauté de haine où chacun de nous était seul. Si ces fanatiques venus d'Amsterdam gardaient parmi eux sous leurs loques un enfant qui serait demain le Christ, certes, tous seraient là pour le crucifier. Les Skinheads, ces leaders de la classe prolétarienne, qu'ils fussent victimes du chômage ou de l'ennui, n'hésiteraient pas à anéantir en lui, non pas l'homme ou le mystique, mais l'idée de ce mystique ou de cet homme. Surtout l'idée d'une bourgeoisie chrétienne triomphant parfois dans nos villes industrielles sous une fausse mendicité.

Skinheads, n'était-ce pas là la révélation d'un mal dégénéré, la tête rasée, tondue, la tonsure de la pauvreté ? Ils étaient eux aussi, dans leurs manteaux usés, leurs laides chaussures retenues à la cheville par des lacets, le chômeur noir ou asiatique qu'ils poursuivaient dans les faubourgs ou l'agglomération des ghettos en temps de paix. Ils étaient ces minorités ouvrières mises à l'écart, des opprimés. Mais qui remarquerait la force de leur pouvoir, de leur révolte, sinon les opprimés eux-mêmes ?

Sous ce ciel de janvier, toutes les chasses étaient ouvertes. Pendant que les Skinheads poursuivaient les Indiens, dans les rues de Liverpool, on découvrait le massacre de 20 000 caribous dans nos plaines. Le vaste gibier dont on avait amputé la langue reposait au loin, en ces calvaires inconnus pour ceux qui les avaient torturés. Une tribu d'Amérindiens décimée par la faim, l'exil, comme l'espèce animale qu'ils avaient pourchassée, cruellement lacérée. Nos terres, nos forêts, nos plaines regorgeaient de sang sous la neige qui ne cessait de tomber, blanchissant à mesure l'atrocité de ces supplices, de ces agonies. Mon père écrivait, « ralliez-vous ! Non, ne permettez pas ce mal, condamnez le massacre des caribous comme la montée du terrorisme en Italie ». Ces sujets divers inspiraient mon père dans ses articles, en ce début de l'année. Mais qui avait pitié en ce monde des caribous de la Saskatchewan ou des généraux assassinés ? Nous étions tous des chasseurs identiques dans un même carnage, me disait Stone, dont les dents scintillaient comme des perles en ces pâles nuits d'hiver. Après les obsèques fastidieuses, on verrait à nouveau ces mêmes juges qui avaient été tués par leurs ravisseurs, ces mêmes généraux, ces mêmes députés, confiants, débonnaires, comme ceux qui les avaient précédés. Les mêmes hommes nous parlaient soudain à la télévision, nous demandant avec humilité :

Vous, jeunes tueurs, jeunes ravisseurs, nous sommes vos pères. Pourquoi ne nous aimez-vous pas ? Nous ne sommes que des fonctionnaires un peu rigides et vous recherchez notre extinction. Pourquoi ? Ne pensez-vous pas parfois à nos femmes, nos filles, que nous laissons dans le chagrin ? *Let's kill them all,* répondait Stone en riant.

Nous savions tous les deux que la race des hommes, de l'homme, n'était pas périssable comme celle des caribous. On pouvait l'amputer de sa langue, de tous ses organes, mais l'homme était toujours là, et lorsqu'il ressuscitait, c'était avec vigueur, comme lorsqu'il dynamitait des cadavres, regardant les corps de ses ennemis empilés les uns sur les autres. Il se réjouissait de les tuer doublement, il les arrosait d'un liquide enflammable et souriait devant cette sanglante flambée dans la nuit de l'hiver.

« Diminuendo, disait ma mère à Lisa, à Sophie. De l'harmonie, de la douceur, et surtout, il faut vous concentrer davantage comme je vous l'ai appris. » La tempête passait en silence au-dessus de la maison. Confiné au foyer, Gregg boudait la chaleur de l'intime corps maternel qui eût aimé l'attirer sur ses genoux, « Gregg, mon homme, viens près de moi, nous allons regarder la boxe », lui disait-on, et son visage hostile se tournait avidement vers l'image rugueuse, complice, où deux boxeurs nains, semblables à Gregg, Luis, huit ans, son adversaire, le Champion, une dizaine d'années, évaluaient chacun l'élasticité de leurs gants de boxe, avant de lutter sur l'arène. « Toi aussi, Gregg, tu seras comme eux, on t'appellera le Champion, comme le plus grand. Ils manquent un peu de coordination, mais cela viendra. Ton père et moi pensons beaucoup à ton avenir. Gregg, vas-y, le Champion, frappe. La boxe forme les garçons comme toi. Gregg, toi aussi, tu auras un entraîneur, tu seras le premier comme le Champion aux combats en Irlande et nous serons fiers de toi, ton père et moi... » Gregg-Louis-le Champion, écoutaient, hébétés, ce vacarme strident autour du ring... L'adversaire était là. Soudain il frappait, cognait, Louis vacillait, le Champion revenait à lui, dans un terreux brouillard, Louis entendait les hurlements de l'entraîneur, de la foule : « Vas-y Champion, tu peux lui crever un oeil, il faut en faire un homme de celui-là... » Deux copains, ils iraient manger des hamburgers ensemble après le combat et Louis sautillait de peur dans son short bleu satiné. Quelques coups encore et on le verrait affaissé aux pieds du Champion, le nez, les lèvres humides de sang. « C'était cela, devenir un homme », disait la mère de Gregg, avec une émotion haletante. Et Gregg écoutait sourdre de sa poitrine ces sons qui étaient les échos de son seul langage : « Ban.. Bang... Bang.. super bang.. K.. K.. I.. L.. L, *KILL*... » Pendant ce temps, dans ces temples du Japon, de l'Inde que mon père avait visités, des moines exhalaient leurs prières, leurs méditations stylisées, ou ratissaient le sable autour d'un bloc de pierre symbole de notre monde lentement érodé, englouti par les vagues de l'océan. Stone, Gregg et moi, nous étions là, tels des grains de ce même atome indivisible, nous étions contenus dans le bloc de pierre comme dans ces flèches à plumes blanches. Les moines persécutaient en nous la violence maléfique : leurs prières, leurs chants enchantaient l'air, ponctués par des battements de tambour. Comme les Skinheads dans leurs austères luttes, ne s'infligeaient-ils pas eux aussi la tonsure, ne sollicitaient-ils pas l'aumône comme nos Christ de l'an 2000 ? Mais eux se prosternaient à l'abri de la neige, du froid, rappelés parfois à la brutalité de nos souffrances par un frêle coup de *keisakou* sur l'épaule : dans d'exquis jardins où l'équilibre du sable, de la végétation et des roches les élevait jusqu'à ces méditations translucides où, soudain, le règne de la pierre et de la violence était aboli. Les maîtres hautains nous avaient époussetés, dans l'offrande du riz, la cérémonie du thé. Nous ne pouvions plus Être, dans leur cristallin silence où seul s'agitait le vide.

Dans ces monastères, un pélerin de notre temps comme mon père se prosternait sur son étendue de nattes de paille, songeant que la vraie permanence était parmi nous, sa femme, ses enfants, car le repas y était bien frugal, sa méditation si vagabonde qu'il se demandait s'il avait une âme. Ses yeux contemplaient le mur nu de son ermitage, la fenêtre ouverte sur un ciel aux éphémères nuages comme si la main d'un vénérable maître les avait calligraphiés ; on ne voyait de cette fenêtre que les quelques pins du jardinet, une roche, un peu de sable, l'âme qui était là, entre ciel et terre, inexplorée.

Nous traînions parmi les *pushers* dans les salles d'amusement, encore illuminées tard dans la nuit. « Ici, les vieux recrutent les jeunes, disait Stone, c'est comme ça que j'ai rencontré le Old Man, on a fait notre premier vol de bijoux ensemble, c'était dans la résidence d'hiver d'un dentiste, j'étudiais pas loin d'ici, je venais jouer aux boules, après l'école, regarde ces deux punks qui ont sniffé de la coke, si le Old Man était là, il les embaucherait, même s'ils portent des colliers de chien autour du cou, et des anneaux suspendus à leurs jeans, le Old Man, c'est pas Stone, il a un coeur... »

Tout en cheminant avec Stone dans le dédale des machines criardes, je tenais d'une poigne les boucles de sa chevelure noire, ployant de mes doigts durs la tige de sa nuque. Je pensais que mon devoir, comme celui de Stone, des punks bébés qui faisaient leur apprentissage ce soir-là dans les salles de jeux de la ville, notre devoir à tous n'était-il pas de discréditer l'art insipide des autres

46

générations, en usurpant cet art, en devenant nous-mêmes des oeuvres vivantes comme l'étaient les deux punks qui nous regardaient béatement, car nous étions déjà pour eux « deux vieux » dont ils pourraient avoir besoin. Même si nous les avions déjà écartés de nous avec insolence, sculptures cruelles ou fauves, il était évident que nous étions enchaînés à la grotesque technologie de notre époque, que nous étions, comme elle, discordants, absurdes.

Il existait une drogue plus forte que la cocaïne, l'héroïne, disait Stone. Les usagers la connaissaient sous le nom de Blanc de Chine. Peu lui survivaient puisque cette drogue était quatre-vingt fois plus virulente que la morphine, Blanc de Chine, comme la fade extase des bonzes survolant les arbres asymétriques de leur jardin pour atteindre cette limpidité de l'esprit dont avait parlé mon père. Avec le Blanc de Chine la mémoire s'effaçait. S'effaçaient aussi les chasses, les réveillons de janvier, les morts de Nairobi encore attablés devant un gâteau explosif, les lampions du Nouvel An autour de ces fêtards lugubres, et le poseur de bombes, un jeune Arabe qui se reposait de ses crimes dans une chambre d'hôtel avant l'essoufflement révolutionnaire de la nouvelle année. Languissamment appuyée contre une machine déployant sur le mur son éventail de jeux électroniques, — guerres scintillantes, collisions de planètes — dans ce cercle qui semblait fait de feu, Stone glissait parfois sa lèvre rose sur les pointes de mes dents, tout en me racontant les indécences que lui disait son Old Man, dans ses lettres : « *Send me pictures, Suckie Baby, in your open crotch bikini, when the days are warm, let's ride in the sun, make love in the mountains, I will be incarcerated until spring 83, when I get out we will have a ball, I am your Man, your Degenerate Man* », écrivait-il, pendant que se promenait dans mon cou la main de Stone ou que dansait autour de moi Stone tel un serpent, dans cette image publicitaire où l'on vendait, avec une marque de savon, une femme japonaise dont on ne voyait du visage que les lèvres, et à son cou, figé, le serpent à l'oeil vif attiré par le parfum qu'elle tendait d'un air soumis, entre la corolle de ses doigts. Nous étions le serpent et le parfum, Stone et moi. Nous étions noués l'un à l'autre par les mêmes qualités perverses, l'impatience, la curiosité du serpent, l'arôme de la mort n'était pas loin. « Le soleil se couche, écrivait le Vieil Homme, je pense à ceux que nous avons perdus, sur la route, Bob, Wild Child, Pig, Scruptious, *only the good die young, they rode hard and died fast...* »

The sun is setting, and a brother from Long Beach is laid to rest... écrivait le Vieil Homme ; nous sortions dans la nuit, c'était l'hiver et un ivrogne rentrait prudemment chez lui. Il nous regardait avec crainte, tout en poussant devant lui une canne ou un parapluie ; il tremblait des pieds à la tête, flagellé par le vent...

Stone marchait à mes côtés, désinvolte, le front, les mains nus, « *send me a picture, my hot girl,* » avait écrit le Vieil Homme, et Stone était là, couverte de ces deux armures, l'avidité du Vieil Homme qui était celle de la dépravation et la mienne qui était celle d'un usurier : elle était à nous. Stone propriété du Vieil Homme, de Pierre. Elle était le modèle japonais qui disait en souriant, « Oui, messieurs, j'ai choisi ce parfum pour vous », ou cette autre, dont les cheveux blonds ondulaient sur l'épaule et qu'un homme d'affaires renversait sur un piano, dans un hôtel luxueux. Je lui prêtais ce pouvoir, cette lascive richesse de divulguer pour nous la chaîne d'hôtels qui nous apporteraient la détente ou la satiété de tous nos plaisirs, à Boston, New York, Houston. Parfois il me semblait plus rentable de la masculiniser légèrement, svelte et sombre, contre un fond de velours, elle portait un costume qui évoquait le smoking de l'homme et ses dédaigneuses sorties mondaines. Elle et lui devenaient un même couple synthétique, conçu pour les mêmes fêtes de l'argent et, du privilège. Mais le plus souvent la femme n'accompagnait pas l'homme, il partait seul vers le ciel amical d'Hawaï, une aimable jeune fille le suivait du regard, des fleurs dans les cheveux. « Je suis le soleil de là-bas, disait-elle en souriant, la plage où tu viendras te délasser. » Ces grains de sable des plages, aussi fins et trompeurs que de la fausse poudre de stupéfiants dont se servaient les motocyclistes, me disais-je, car même un Blanc de Chine inexistant pouvait provoquer cette terreur du vide où tout disparaît. Le Vieil Homme, celui qui vendait le ciel d'Hawaï et moi, étions parmi ces chasseurs de janvier traquant Stone, tel le loup du Yorkshire à l'orée des bois, à l'aube, la nuit d'hiver dans les parcs, les cours d'école. Toutes les femmes connaissaient le loup du Yorkshire ; ce n'était pourtant qu'un humble camionneur. Utilisait-il un marteau à tête ronde, un tournevis, dans les parcs, les terrains de jeux ? Les prostituées, les étudiantes, quinze ans, parfois, — lui-même avait une fille de cet âge à la maison et lui défendait de sortir le — soir les unes, les autres. Stone était poursuivie par le loup du Yorkshire, on la retrouvait éventrée derrière un garage, à Preston. Le loup du Yorkshire était un psychopathe, donc c'était là l'indice de son innocence. Éventreur, étrangleur innocent. Il avait souri au tribunal. Treize assassinats. Il était maître du nord de son pays. « Le sexe de la femme, avait-il déclaré, c'était là la guerre de religion d'un seul homme », Peter William Sutcliffe qui croyait à l'immortalité de l'âme, comme Pythagore, Socrate et Platon. Il était soudain parmi eux sans les connaître, son âme souillée de sang errait vers ces régions invisibles dont avait parlé Socrate et les cadavres de janvier s'accumulaient parmi nous sur la terre. D'autres s'étaient enfuis peu de temps après les fêtes de Noël, la saison d'espoirs s'achevait brusquement : qu'était-ce que ce bonheur des familles qui ne durait que quelques jours, cette effervescence de sentiments, de promesses aussitôt évanouies ? La télévision parlait dans le noir. Abondante, elle vous offrait ses cadeaux enrubannés. Celui qui regardait, écoutait, dans une pièce solitaire, voyait cette main qui se tendait vers lui, « viens, c'est pour toi, ces jouets, ces splendeurs, c'est pour toi. ⇀ Je veux tout cela, murmurait-il, dans son salon démuni, un fauteuil neuf, oui, ces coussins, ces bibelots ». La main ne donnait plus soudain, car il n'y avait rien à recevoir de cette main.

Les somptueux paquets de Noël ne recelaient que de l'air. C'est ainsi qu'ils décidaient de s'enfuir, 30 000 seulement aux États-Unis. Un collectivisme passionné que n'apaisaient plus les délices du monde, de la télévision, en cette période de Noël. Ce n'étaient que des Américains sains et normaux ; soudain en rentrant du bureau, le soir, en prenant leurs petits sur leurs genoux, ils réfléchissaient amèrement à la sobriété de leur conduite, à la modestie de leurs espérances en ces jours de crise. Elle apparaissait sur le calendrier d'un mur de cuisine, dans un devoir d'enfant qui traînait sur la table, elle était là, la tache blanche, le Blanc de Chine de l'intègre troupeau. « Viens, viens, rien de plus simple, entendaient-ils, tu te souviens de ton vieux fusil dans la cave ? La pendaison, l'absorption des médicaments ? Non, tu es un homme, toi... Le fusil, la pendaison, peut-être, mais ce serait de la folie de te lever demain comme d'habitude, de retourner au travail, on te l'a déjà dit, ils te le disent tous ; pour un individu comme toi, il n'y a plus rien à attendre, tu peux avancer, reculer, ce sera toujours en vain... » « On en voit de plus malheureux que moi, dans les journaux, à la télévision », répondait l'individu à la tache blanche qui scintillait sous les chiffres du calendrier de la cuisine, sur la page du cahier où l'enfant docile avait aligné quelques mots : « Je me lève le matin et je vais à l'école, tu te lèves... » Blanc de Chine s'insinuait dans ces coeurs qui n'avaient jamais connu une seule mauvaise pensée : ils passaient de l'éveil effacé de leurs vies à l'éclipse de la tache blanche.

« Tu es à moi, » disais-je à Stone, nue dans sa salopette de cuir, ou la couvrant de ma veste noire, sur le siège d'un camion. « À moi », me disais-je, la regardant marcher à mes côtés avec un air de défi, et l'arrêtant soudain, pour mordre avec ses doigts le vernis de ses ongles. Immobile contre un mur gris que salissait la neige, il eût fallu un grand chat noir à ses pieds, une bouteille de gin dans sa main levée, plutôt que cette risible boule de neige dont elle s'armait contre moi, en jouant, pour posséder en elle l'image d'un caprice que nous avions créé, nous appropriant le gin et la femme qui désaltèrent la soif, et la beauté du chat qui nous la fait convoiter.

En peu de temps, les cheveux noirs de Stone seraient coupés, détruits, car nous n'aimions rien de vivant autour de nous ; sa tête rase, comme la mienne, serait le simulacre de la terreur dont nous étions, elle et moi, les derniers germes. N'avions-nous pas, nous aussi, comme nos pères, le pouvoir d'anémier toute vie ? Ils avaient exténué la vigueur des océans, et des fleuves, partout, sur des scènes jadis plus gracieuses, au milieu du désert et des champs, ils avaient exhibé leur vaste cerveau militaire ; nous aussi, sans être échauffés, nous allions attaquer les uns et les autres ; nous étions à la fois le Blanc de Chine gommant la banalité des existences et la bombe qui dévastait silencieusement New

51

York tout en lui laissant ses édifices.

Gregg, sur les genoux de sa mère, Oeil de Serpent qui n'était qu'un chétif gamin noir, dardaient leurs yeux concupiscents sur ces présomptueux retraités dans leurs villas. La porte du jardin était entr'ouverte. Gregg, Oeil de Serpent, l'Homme Araignée, les insectes, les mammifères de la Jungle rampaient dans la nuit. Anesthésiée dans son bonheur, parmi ses enlacements de roses et de chiens de garde, la Côte d'Or et ses hôtes jubilaient devant le soleil couchant, quand nous étions là, calmes mais prêts à bondir de leurs jardins embaumés. Stone et moi avions aussi le pouvoir d'invoquer la crédulité des bons : mes parents n'avaient jamais autant parlé à mes soeurs d'un monde altéré, ce monde meilleur où nous ne serions plus.

Ces quarante ans d'histoire qu'ils portaient à peine, les rongeaient lamentablement et ces jours d'un meurtrier printemps ne reviendraient plus, disaient-ils à Sophie, Lisa — ces jours d'un long holocauste où par millions des enfants comme eux, elles, Sophie, Lisa, dans leurs jupes de flanelle grises, leurs chemisiers verts de lycéennes, avaient péri, à Nagasaki, à Hiroshima, il y aurait bientôt quarante ans. Eux-mêmes avaient senti de leur berceau l'universelle torpeur de tant de morts envahissant leur conscience.

Lisa écoutait les sons monocordes de son violon. Un jour, par un été très chaud, des parents avaient demandé où était leur petite Sophie. Ils n'avaient retrouvé sous un parasol que la poupée de Sophie, une poupée calcinée. Cette histoire, ma mère la racontait à Sophie tout en lui disant : « Il faut travailler tous les jours, même dans les Iles Vierges, il faut emporter ton violon. » Lisa se penchait vers la musique expirante. « Pourrions-nous tous bientôt partir, voyager avec papa ? » « On ne peut pas quand il n'y a plus de voies ferrées, quand huit millions de gens errent sans abri, quand les ponts sont coupés. » « Maman, pourquoi tant de désordres, de calamités ? » demandait Lisa. « Aucune explication », répondait mon père. Un homme seul, un général, avait tout décidé de son bureau, éructant après un banquet devant son cigare, mais ces meurtriers printemps, ces meurtriers étés de guerre ne devaient plus revenir.

Sur la Côte d'Or, aucun nuage ne venait alourdir le perpétuel été de ceux qui avaient acheté leur paix. Dans leurs tentes, sous les palmiers, les princes organisaient des fêtes de charité car ils pensaient à tout. Un opéra, dans une grande ville, une symphonie, la Croix-Rouge, les Victimes de la leucémie. Le devoir des princes était de soulager ces plaies gênantes qui jetaient un voile d'appréhension autour de leurs incessantes allégresses. Parmi les bois de leurs pavillons, comme au milieu des hordes de leurs chevaux, ils avaient l'art d'apaiser en eux ce doute que le malheur pût exister ailleurs, ce doute que nous avions incarné, Stone et moi, à côté de leur forteresse, devenue peu à peu un centre d'internement pour les riches.

Ces parents ligotés par des idéaux de survie et de prospérité n'étaient pas dissemblables, me disais-je, de ces parents dévots, adeptes de la mendicité, poussant devant eux dans la nuit polaire celui qu'ils appelaient le Christ de l'an 2000, un pâle garçonnet qui ne m'avait inspiré que du dégoût et que nous avions poursuivi de boules de neige. Chacune de ces frileuses figures, Sophie, Lisa, le Christ – fétiche de l'an 2000 et la main transie de froid qu'il tendait vers l'abjection, n'était-ce pas la figure d'un ange brûlé par les nuits de cendres de l'histoire ? Nagasaki, Hiroshima répandaient sur ces têtes, autour de ces visages, une même odeur de soufre, un halo de terreur. Quand Stone et moi étions insensibles à l'histoire et à ses larmes, marqués par une même logique, nous n'avions pas de rêves, nous étions vides d'humanisme comme Goldorak, Daltanius, ces guerriers de l'espace qui n'avaient aucun passé et dont les royaumes étaient ceux de l'homme implacable, du robot nucléaire. Plutôt que de mendier dans la nuit glaciale avec son enfant, il eût mieux valu, disait Stone, purger jusqu'au bout sa peine dans quelque pénitencier, comme le Vieil Homme, attendre la délivrance du printemps 83, tuer avant sa naissance fétide le Christ de l'an 2000, disait Stone. En 83, à la libération du Vieil Homme, on pourrait commettre jusqu'à trente vols à main armée par année, être libre, à Daytona ou ailleurs. Le métro débordait de ces équipes d'agresseurs stimulant entre eux pendant l'oasis de l'hiver le déclenchement de leur puissance sexuelle. On rôdait, ici ou là, un sac arraché à une passagère, un collier, une montre. Ces vols, disait le Vieil Homme dans ses lettres à Stone, rapportaient parfois jusqu'à 80 000 dollars par année :

Pendant ces interminables nuits de décembre, de janvier, je serrais Stone dans mes bras. Tous sentaient le soufre, la fumée des récents sacrifices, quand cette prochaine guerre mondiale qu'ils craignaient tant, seuls, sans eux, nous l'avions commencée.

Oeil de Serpent, Baby Love, fondent dans la nuit, avec leurs poings qui ne sont plus que d'étincelantes griffes d'acier.

N'ont-ils pas le sang chaud ?

Ils tremblent d'indolence en marchant.

Stone me regarde, **bientôt le printemps, dit-elle.**

La neige de mars, une neige douceâtre humidifie la terre, le ciel est blanc, trouble comme en été les soirs d'orage. Ces dieux d'une race inférieure rêvent de nous tuer tous. On entend surgir de leurs ghettos *rumors of war, rumors of war.* Je ne sais si elle parle ou si je m'entends penser, mais j'entends la chanson de ce printemps que Baby Love, Oeil de Serpent rythment de leurs pas cadencés. Ils sont bercés par la voix du grand Cerveau qui enveloppe leurs voix à la mue et leurs têtes se balancent mollement au bout de leurs longs corps excitables et fébriles. « *Let's get drunk and strut.* » Ce sont les fils noirs du viril Oncle White, celui qu'ils ont aperçu au temps de Noël dans tous les lieux publics, dans les magasins, à la poste. Ce Père Noël portait sur ses genoux d'un côté Gregg, la candeur de son corps bouffi, potelé, de l'autre, Oeil de Serpent, Baby Love, noirs comme la suie. Oeil de Serpent, Gregg se souviennent ; ils sont issus du même Oncle White, du même grand Cerveau qui les a accouplés, réconciliés, eux, les irréconciliables, les préparant ensemble aux serviles batailles du lendemain.

Il y avait l'irisation des yeux noirs, tristes, d'Oeil de Serpent sur les genoux de l'Oncle, et ces yeux de Stone, froids, ou stérilisés par la crainte. Elle se taisait : ma brutalité importune ne la saisissait-elle pas partout, à moi, les lèvres entr'ouvertes sous la morsure de ma bouche, inerte sous mon corps volontairement si lourd ? On leur demandait ce qu'ils désiraient pour Noël et ils répondaient « *weapons, weapons* » et le petit garçon aux cheveux blonds — quelle innocence dans la raie de ses cheveux que sa mère avait tracée le matin — celui qui avait des difficultés à lire, à l'école, suivait le soir, avec ses parents, au Texas, ses propres cours de survie. Déjà il pouvait affirmer sa précision au tir, au meurtre des rats, des lapins, sous ses lunettes, ses écouteurs amortissant le son, le regard soudain si net qu'il allait droit au but, lui qui avait tant de mal à apprendre à lire et à écrire. Oeil de Serpent, Baby Love, roulaient des yeux, de la hanche, du pied, marchant, dansant. Ils avaient des soeurs jeunes et déjà très grosses, elles étaient mariées. « *Rumors of war, rumors of war.* »
« Et nous, nous irons à Daytona », répétait Stone.

Mon père m'avait reçu dans son bureau, lui qui d'habitude accueillait les siens sur son coeur, comme l'Oncle White de Sophie, Lisa
dis encore combien tu nous aimes
plus que le ciel que la mer
s'il y avait un ouragan
soudain vous seriez à peine touchées
je suis là votre père
Ils dorment tous dans la même pièce : Oeil de

Serpent, Baby Love, les soeurs obèses et leurs maris noirs.
s'il y avait un ouragan
les Blancs seraient réduits en poudre
nous pourrions danser rire
chanter
tout un cimetière de Blancs
dans nos vêtements de couleurs
nous pourrions danser sans fin dans les rues
inclinant vers nous
le ciel furibond les arbres torturés pulvérisés par les tornades les ouragans

Mon père remarquait ma tête rase. « Dommage. Toi qui avais de si beaux cheveux. Et puis non. Le collège militaire, il n'en sera jamais question. Nous préférons te voir partir sur les routes, ta mère et moi, oui, pars... » Ses mots se perdaient dans sa douleur. Il était toujours délicat, sans familiarité, ou bien si pudique soudain, qu'on eût dit qu'il allait m'effleurer d'une insoutenable caresse, lui, l'homme nouveau, complice de la finesse féminine, militant pour la vie, Sophie, Lisa, comme les assoiffés de la Côte d'Or, son jardin, ses deux fleurs, Sophie, Lisa.

Les lèvres de Stone étaient sans fragrance, ce n'était pas le souffle parfumé de mes soeurs lorsqu'on se penchait vers leur sommeil.

Le Vieil Homme et ses férocités avaient scellé pour toujours, qui sait, les lèvres de Stone. De nombreux souvenirs semblaient accourir à ses yeux fixes et impénétrables. La poussant contre le mur pour l'embrasser, j'entendais encore cette confidence de mon père : « Eh bien, nous sommes si déçus, ta mère et moi, nous aimerions avoir un autre enfant... » et ce bureau de mon père où je ne venais jamais, avec ses plantes rares, sa collection de livres, son ordre rigoureusement concret lorsqu'il écrivait ou décortiquait dans ses livres nos bassesses sociales et politiques, ce décor s'écroulait. Que me disait-il ? Était-il fou ? Parlait-il du Christ de l'an 2000 lui, l'homme raisonnable. Il était là soudain, ce sauveur et ce prophète qui nous avait abrités des tempêtes de sable, oui, il était encore imprégné des senteurs fragiles de son eau de Cologne, après l'amour, m'offrant la vanité de sa jeunesse vigoureuse. « Pierre, tu m'entends ? Nous aurons un autre enfant, la vie contre la mort, Pierre. »

Nous avions oublié, sous l'exaltante lumière de Gauguin, la voix du grand Cerveau tonitruant au loin ; protégés, nous avions été les sauvages nus de ce philosophe d'aujourd'hui, homme, femme et mère, car il était tout cela à la fois. Nous n'avions pas été battus, violés comme Oeil de Serpent, Baby Love. Nous étions des seigneurs pâles parmi d'ombreux géants dont nous avions appauvri les jungles et les forêts. Ces corps noirs pleins de frissons ne s'évadaient-ils de leur mépris que par le jeu, l'adresse à la fuite ou à la natation, la grâce pure et violente ? Avec quelle ébriété n'eussent-ils pas enfoncé au fond de leurs rivières, de leurs fleuves, Sophie, Lisa, ces exquises statues dont ils ne savaient que faire, les amusant, ne les caressant jamais craignant de les briser dans un mouvement de haine ?

Mêlée de tigres et de loups, nous étions prêts à nous lancer tous sur la même pâture : la fin de notre civilisation.

Papa le vent se lève sur la mer
il va pleuvoir
un cyclone papa
non il ne pleut jamais ici
tu le sais bien
venez près de moi
Lisa ton pied saigne

oui la bouteille
elle t'a coupée
rumors of wars

Rumors of wars, chantaient Baby Love, Oeil de Serpent, tendant vers nous leurs poings américains et leurs chaînes, dansant sur nos têtes. C'était cela, oui, mon père, ma mère conspiraient notre ruine, la mienne, celle de Stone.

Cette ruine c'était un embryon d'éternité qui serait demain mon frère ou ma soeur. Il cédaient à l'aphrodisiaque foi de leur époque qui énonçait qu'il était plus sain de concevoir la vie que de l'abréger. Comment allaient-ils concevoir cette merveille, eux si tendres l'un pour l'autre que le juge le plus sévère n'eût pas su comment peser une action aussi absolue et persévérante dans sa méchanceté ? Sous la lumière du soleil ou dans la nuit, comment mettraient-ils fin à ma vie inverse, à toute mon agonie mâle ? Par cette solution radicale, infectieuse de l'enfant. Déjà, ils rêvaient de la douceur des plages, du raffinement de ces lieux chers sous les climats apprivoisant leur décision, l'ampleur de leur geste amoureux. Quand en ces nuits de mars le feu crépitait dans la jungle ils aimaient en eux-mêmes, dans leurs corps pétris par la passion, cette énigme de l'amour qui exigeait tout, tout en demandant avec patience et adoration : « Qui es-tu, toi que je regarde ? Toi que j'étreins, où es-tu donc ? Quand donc me parleras-tu ? »

Ils étaient au bord l'un de l'autre comme auprès d'un puits ne révélant que la surface nocturne de l'eau ; sous cette eau, ils plongeaient, soudain desserrés par les élans du plaisir.

Avant de me défaire moi-même comme eux contre le cou docilement rigide de Stone, je n'avais pas su où ils allaient ainsi, vers quels confinements, quel ennui, dont on ne pouvait plus se lasser, dont je ne me lassais pas, avec Stone, comme si l'éternité et ses embryons eussent soudain parcouru mon échine, aiguillonnant la lucidité de mon esprit tout en capturant mon sexe. Et son extase était tempérée par la connaissance, car mon père étant un mari fidèle idéalisait pour lui-même l'enlèvement de sa propre femme, lui qui ne souffrait d'aucune tare d'ignorance, conscient. Il se posait comme un fardeau élastique et harmonieux, sur les flancs de ma mère qui l'aimerait nuit et jour, sans excès, avec constance.

Pendant que tournoyaient les flammes autour de leur couple embrasé, Oeil de Serpent, Baby Love, épiaient cette flamme timide mais sûre qui s'élevait d'eux ; ils les épiaient dans leur chambre lorsqu'ils se croyaient seuls, dans les champs où ils pourraient bientôt s'ébattre, dans les sous-bois, dans la volupté de la nature murmurante, consentante, leur alcôve. Et ces Noirs qui avaient bercé Sophie, Lisa, dans nos veilles africaines, grimpaient au sommet des arbres, poussaient des cris de singes en regardant ces Blancs conquis qui transpiraient en dessous, se dilataient au bord de l'éternité. Je t'aime, pensai-je avec dérision, mais où allons-nous ainsi ? Y a-t-il un rivage, une fontaine qui nous abreuve vraiment ? Ceux qui vont naître sont déjà là qui nous attendent, nous observent, et, parmi eux, celui qui n'est pas encore, notre Christ de l'an 2000.

Peut-être se confiaient-ils ces paroles à l'oreille et après la fureur de la nuit venait l'aube qui les avait séparés l'un de l'autre, puis, tranquillisés, ils dormaient, souriants, surpris de la fin de leur désir, accomplis comme deux oeuvres d'art sortant des mains de leur créateur.

Et pourtant, Steven Judy avait été exécuté ce matin-là. L'écriture de mon père, dans ses carnets, sur la table, en témoignait encore ; par cette aube radieuse,

Stephen Judy qu'on avait vu hier à une conférence de presse, s'agitant, car il était pressé, disait-il, de ne plus être — ni au Michigan ni ailleurs —, ne plus être sur la terre ou dans quelque enfer des humbles torturés à son image. Stephen Judy n'était plus, on ne parlerait plus de lui. Il était coupable certes, une femme, trois enfants, ces cadavres comme du bois pourri descendant vers la berge. C'était un homme sans remords ne se souvenant plus de ses gestes. On avait voulu suspendre l'exécution de sa peine, mais il avait refusé. À quoi bon ? Ce serait cette aube de mars et pas une autre, « Oui, qu'on me libère enfin, disait-il, je ne cesse de vous le répéter à tous que depuis l'âge de treize ans, je suis dangereux. Refermez derrière moi les grilles de vos hôpitaux psychiatriques. Mon Dieu, quand donc aurez-vous pitié de moi ? Demain, en cette aube liquide, je ne serai plus, je ne pouvais rien modifier à ma conduite. Mes devoirs étaient le viol, la tuerie. Adieu. Je vais partir maintenant. Adieu terre, adieu mes amis que j'ai noyés, femme et enfants. Mais j'ai faim, je veux des côtes de boeuf et du homard pour mon dernier repas. »

Mes parents contemplaient l'aube avec des soupirs de vertige, d'espoir. Je t'aime, tu sais. Esclaves de leurs jeux, ils les recommençaient. L'aube, le vent les ranimaient. Ils étaient beaux, ils étaient la vie dans son épanouissement et son ardeur, Stephen Judy ne disait plus « j'ai hâte de mourir ». Sa calme détermination l'avait amené vers la chaise électrique et il n'était plus en ce monde qu'il avait tant exécré.

Mon père n'avait-il pas ajouté avec son inaltérable sérénité « l'amour a toujours existé, Pierre, existera toujours. Même au temps de Caïn, sous la réprobation divine, l'amour, la haine étaient indivisibles entre deux frères ». Son regard enflammait mes joues, mes lèvres minces dont il condamnait la lapidaire vélocité, car il connaissait la frénésie de mes pensées. Au temps de Caïn, au temps de Hitler, on avait conçu de ces larvaires espoirs. Ne me dirait-il pas que sous le règne démoniaque de Hitler, comme sous la férule d'un empereur romain, on avait fécondé ces fleurs, Sophie, Lisa, fécondées par le mal et la pourriture ? En tout temps, il avait raison ; sous l'ardeur des conflits, des guerres, dans la sècheresse, la famine, chacun naissait sans prudence, semé par la jouissance de la catastrophe. En période de résistance ou d'apathie, la terre procréait. La voix du grand Cerveau disait : « Que viennent vite mes futurs soldats, qu'avec la plénitude de l'aube se dressent vers le salut nazi ces mains infantiles. » À peine conçus, enfants nattés, bottés, casqués, le salut hitlérien était déjà en eux. Qu'ils s'appellent Hans ou Sophie, Pierre ou Stone, on les avait embauchés à l'institution de la violence. Déjà à l'école primaire, aux heures de la gymnastique, du calcul, de la musique, ils étaient des fanatiques du sang pieusement versé car on avait propagé avec la haine, la discorde. Cette récolte d'anges, Sophie, Lisa ou Hans, entre dix et quatorze ans, l'élégant *jungwolk,* aux cheveux d'or, attendait en jouant parmi ses camarades le poignard sur lequel il serait gravé « Sang et Honneur ». Avec ce même sourire éblouissant et doux, il serait demain un garde, presque un soldat, comme Pierre ou Stone. Il aurait le teint clair, il serait de pureté aryenne et chanterait en choeur sous les drapeaux, moisson de vierges, filles ou garçons, le grand Cerveau. Le Führer haletait en écoutant ces hymnes, il était le dieu de la force et sous sa voix corruptrice, on chantait, tuait.

L'ère de la mort était celle de la chute du bon Werther, et dans la rue Gorki, en ce printemps 81, le punk moscovite, comme Stone ou Pierre, laissait sur les murs son empreinte « Punk, Sang et Honneur ». Ils étaient forts, musclés, s'avançant en été parmi les cygnes, avec leurs voiliers jaunes contre l'inquiet soleil. Eux aussi aimaient courir à l'aube dans les parcs, foulant l'herbe juteuse de leurs chaussures Adidas. À l'heure du goûter, ils dévoraient un suluguni, ce mets favori de Joseph Staline. Le fromage de la pizza fondait sous la langue et ne transportait jusqu'à ces dents saines aucun goût funèbre. Le karaté, le yoga les assouplissaient comme tant d'autres en Italie, en Irlande. Dans les rues de San Francisco ou de Liverpool, ils avalaient le suluguni, fumaient des cigarettes Camel. « Punk, Sang et Honneur ». Ils étaient la vague stalinienne du dernier âge. Que leurs voiliers s'envolent sous de sinistres vents ; nous avions nos motos, la sauvagerie du ciel et des routes, mais nous aussi, qui sait, avant l'été, nous allions entendre le tonnerre stalinien en croquant nos pizzas, nos hot-dogs. Plainte de l'amour forcené qui remontait à nos lèvres. Suluguni. Étroitement enlacés à la digestion du grand Monstre, assimilés dans le fonctionnement de ses entrailles, nous serions insidieusement empoisonnés.

L'herbe croissait déjà très haute dans les parcs les jardins. C'était l'heure où la nuit relâchait sous la lune ses lubriques promeneurs. Et nous qui étions parmi eux écoutions ces secousses de vie. Sous les arbres, dans les buissons. L'étang où mes soeurs patinaient en hiver, emmitouflées dans leur écharpe, étalait son eau noire et frissonnante de plis. Le gibier était couché, incliné vers la terre, comme un lièvre à la gorge ouverte. Les débauchés accouraient de leurs automobiles vers la forêt citadine ; les buissons fourmillaient de soupirs et de lamentations. « Tammy, tu m'entends, reviens, je ne t'ai que partiellement dévêtue, où vas-tu avec ce litre de lait ? Chez ta mère ? Surtout, ne lui raconte rien, je ne suis pas un homme crapuleux, tu sais. . . » Il venait d'un quartier résidentiel, dérobait son visage dans le col de

son imperméable. « Quel âge as-tu ? Douze ans ?... »
Tammy regardait l'homme assis près d'elle dans le
feuillage trempé par les pluies printannières. Plus loin,
dans les sentiers, un prêtre à l'ascétique profil disait à
Samuel qu'il étreignait sur sa poitrine : « Tu me rends
fou, où te cachais-tu donc ? Tu sais bien que je ne puis
m'apaiser qu'ici, près de toi Samuel, Samuel... » Et ce
profil éclairait la nuit de sa supplication. Bientôt, le
poids des fleurs dans ces bois, leur odeur grisante ;
« Samuel, toi qui n'as que seize ans. Le ciel, l'eau noire
de l'étang, le tressaillement des feuilles dans les arbres,
l'hystérie de la nature chantent avec moi ta beauté, ta
jeunesse. Samuel, Samuel... Ta peau est veloutée.
D'où viens-tu ? Comment vis-tu, le jour ? » Dans son
essoufflement à vivre, le coeur glacé, Tammy, Samuel,
ne répondait pas. La vie passait avec ses soupirs, et ses
plaintes, dans ces jardins du bonheur, de la précaire
consolation. Nous étions là, nus dans nos vêtements de
cuir, victorieux et enchaînés l'un à l'autre par nos
membres raidis et froids. Nous étions prêts à l'attaque,
Stone et moi, car le jour reviendrait, écartant sous sa
lumière Samuel et Tammy, ramenant vers les parcs et
les jardins la foule solidaire, et avec elle, ceux qui
revendiquaient le droit au bien, à l'avenir, — mes
parents, Sophie Lisa. Ils viendraient dans la rue en
criant leurs slogans, arborant leurs bannières. Ils seraient
des milliers pour cette fête populaire de la paix, de la
survie, dans ces bois où Stone ou moi, Samuel, Tammy,
ne pourrions plus vendre nos âmes, nous côtoyant de
leurs viles espérances, dans cette foire d'une feinte
solidarité où tout en défendant les droits de la femme,
l'autonomie du gréviste et l'avenir de l'enfant, ils
espéraient détruire en nous ces droits au crime que,
sans eux, nous avions déjà acquis.

Je verrais Lisa, dans la foule, tendant vers le ciel sa

pancarte, comme je l'entendrais dicter à ma mère une lettre à un sénateur américain où il serait question de sauver les pélicans bruns et les phoques noirs, les uns comme les autres, témoignant des naïves raisons d'espérer de Lisa, de Sophie. On attendait le retour de 3 000 pélicans à Santa Barbara, disait-elle. Les pélicans vivaient dans les mers chaudes de l'Amérique du Nord. Quelques colonies survivaient encore. On les voyait qui volaient, paisibles, au-dessus de Acanapa et le sénateur qui aimait l'écologie avait pensé à eux. Il fallait penser à l'aigle, au faucon, disait Lisa, et à l'agonie de tant d'oiseaux dans l'insubmersible mer de pétrole, aux anguilles, aussi, aux éperlans dont Sophie, Lisa mangeaient les tumeurs. Le sénateur pensait-il le soir, auprès des siens qu'il chérissait, aux petits phoques empoisonnés par le mercure ? Avait-il seulement le temps de penser à eux. S'il avait sauvé 3 000 pélicans à Santa Barbara pourquoi ne s'attardait-il pas davantage au sort de l'aigle, du faucon ? Lisa ne savait-elle pas aussi que des bergers massacraient les chamois dans les Pyrénées, que l'on tirait le cerf à bout portant, la nuit, de sa voiture, dans la forêt de Fontainebleau ? Elle savait que les mers, les forêts, les montagnes seraient bientôt nues, épuisées de leurs habitants, et voilà pourquoi, comme tant d'autres, elle marchait dans la foule et soupirait : « Redonnez-nous la vie, redonnez-nous la vie. »

Au loin les pilleurs du Tiers-Monde n'entendaient pas les échos de la fête, moins encore la voix de Lisa, aussi faible que celle de son violon.

Nos Blancs sauvages avaient toujours les mains propres. Lorsqu'ils se mettaient à table, ils étaient nos dignes exportateurs de crimes et parlaient de la sous-alimentation autour d'un bon repas. Ils savaient combien la découverte scientifique, l'exploitation minière, l'aéronautique déguisaient leurs massives contributions à ces guerres qu'ils jugeaient mineures. Gourmands, lascifs, ils pensaient « l'Afghanistan, le Cambodge, l'Iran, que la terre saigne, ce n'est jamais assez ». Et Lisa dansait pendant ce temps au bras de mon père. Ce serait bientôt la vie idyllique avec les vacances, le soleil, l'été. En toute saison mon père, ce Rousseau fantasque, n'arrachait-il pas ses enfants des écoles, des collèges, à ces technocrates, à ces savants qu'il méprisait, dont il ne pouvait honorer la science. Oui, en toute saison, ce serait l'été et sa douceur, les nuits africaines ou les côtes du Pacifique. À Bora Bora, Fidji, Nouméa, mon père serait là, occupé à écrire, à penser, mais surtout à chasser le nuage de cendres, le nuage d'Hiroshima, Nagasaki pesant sur le front de ses filles, et je les verrais ainsi, dans la foule, Lisa, Sophie, mes parents, me disant pour la dernière fois, car Stone et moi allions bientôt partir : « Nous ne sommes pas dans ton armée, Pierre. Avec nous, le monde survivra. »

Ils étaient vautrés là par centaines, ces mâles dont la chair était tendre et veule, sous les ponts de ciment qui menaient aux autoroutes. Avec auprès d'eux, leurs femmes mollement agrippées à leurs torses nus, sous leurs blousons de cuir, leurs motocyclettes luisant comme de gigantesques insectes noirs, au soleil. Ce vil carré de verdure sous les ponts serait désormais notre point de ralliement dans les villes, et emmêlés, entassés, sur cette herbe de l'été que nous avions déjà froissée de nos corps, piétinée de nos engins, nous attendions le départ, Stone et moi, indiscernables, nos casques surplombant nos crânes chauves. Comme tous ceux qui, comme nous, d'un instant à l'autre, allaient surgir sur les routes, sans yeux, sans regard, le visage écrasé sous nos confortables masques de verre et d'acier. Stone m'avait entraîné dans sa bande

La première fois,
Posant mon colt sur la tempe de ma mère, j'avais acquis
une somme d'argent telle que je n'en n'avais jamais
possédé.
Le Vieil Homme, encore dans sa prison de Nebraska,
j'avais Stone rivée à ma Tsubaki. J'entrais dans une
horde de jeunes durs nords-américains qui deviendrait
une armée et j'obéissais secrètement aux ordres du
grand Cerveau. Celui qui dans la publicité saluait les
performances de la Tsubaki, sur les routes du continent,
sa souplesse, la puissance de son moteur, objet de
sexualité et de mort dont ma virilité s'enorgueillissait,
— celui aussi qui m'avait vanté l'utilité des pistolets de
poche dont je ne pouvais désormais me servir sans
crainte, même à l'intérieur de ma propre cellule familiale.
On pouvait l'anéantir comme les autres cellules de la
société sous le rayon de la terreur. Le souffle de Stone
touchait mon cou pendant que je revoyais ma course
dans la cour. Par la porte du jardin, j'avais écarté les
rosiers et les lilas. Derrière jouaient Traver et Sophie qui
ne m'avaient pas aperçu. M'eussent-ils vu que Sophie
eût crié : « Moi je joue avec Traver parce que c'est le
plus beau garçon de la rue. » Dans cette rue, aucun
enfant ne jouait avec Traver qui était noir, mais dans la
tendresse et la férocité de leurs jeux de race, ils ne
m'avaient pas vu. Je bondissais au-dessus des rosiers,
emportant avec moi l'intimité de ma mère, l'image de
son désarroi. Ce geste sauvage était, pour elle comme
pour moi, son premier attentat et mon premier crime. Je
n'avais aucune intention de la tuer, je m'enfuyais aussi
avec les boucles blondes de Sophie, son fin visage rose,
parmi les fleurs et l'humide regard de Traver posé sur
elle, pendant qu'ils échangeaient leurs jouets. La pensée
de mes parents me transperçait. Comment ce Christ de
l'an 2000 serait-il conçu, dans cette chambre où j'avais

jeté un désordre sacrilège, à l'heure de la sieste de ma mère ? Elle était sur le point de fermer un livre, sa journée de travail s'achevait ; elle était lasse, ses derniers élèves avaient quitté la maison où tressaillaient encore les échos maladroits de leur musique. S'uniraient-ils dans les blés, sous l'impitoyable soleil qu'ils aimaient tant et poursuivaient partout, dans les terres chaudes ? Seraient-ils déments en Afrique ou ailleurs, sur le sable dru, dans cette lumière de la lune qui énerve les sens ? Ils allaient concevoir une vie, comme ils aimaient se délecter d'un verre de whisky avant le dîner, le dimanche. On voyait le long des routes que nous allions bientôt parcourir la géante reproduction de ce whisky qu'ils savouraient. Ils aimaient le Seagram's V.O. parfumé, léger, qui décourage la pensée profonde, la tristesse. Comme leurs modèles, mais moins riches, moins sophistiqués, le V, le O les enrobaient de leurs lettres d'or. Ils étaient consommateurs de Seagram's V.O. comme ils étaient producteurs de vies et de deuils, sans effort. Ils faisaient une vie ou buvaient un verre d'alcool, et telle cette extravagante publicité qui stimule la vanité des couples, le O s'avançait comme les jambes écartées de l'homme, le V, symbole de la femme, cédait en glissant contre le O.

C'est ainsi que nous venions au monde. Mais un jour, l'étrangère semence retournait au vent et nous quittions en dévaliseurs ces maisons où nous avions été aimés et choyés, serrant entre nos doigts de cuir une arme qui nous rendait la liberté.

Qui sait ? Gregg allait peut-être regarder partir notre bande, s'estompant dans l'air des routes, avec le tapage et la fumée. Il nous enviait. Les yeux fous. Barbelés, domaines de l'enfance trahie, piscine populaire, la ville périphérique, terrains vagues. Il enseignait la boxe à de petits asiatiques et arabes qu'il battait ensuite. Né chez nous ou au Kansas, Gregg avait vu à la télévision ces chevaliers allumant dans la nuit leurs torches meurtrières. Le grand Cerveau ne lui disait-il pas à lui aussi : « Défends nos droits » ? Là, soudain, debout sous les ponts, Gregg nous regardait, envieux ou méchant. Il savait qu'à cette heure, l'heure du manque, Baby Love, Oeil de Serpent, faute de lyncher les Blancs qu'ils croisaient dans leurs ghettos, lacéraient les pneus des voitures. Séduit par notre amphithéâtre sous les ponts, Gregg nous voyait devenir ses Chevaliers du Ku Klux Klan, avec nos tatouages, nos insignes nazis, nos têtes de morts. Nous étions parés aussi des Leather Denim, des Nasty Boots de son arsenal de rêves. Nous allions partir. Il piaffait comme un poulain sur l'herbe jaunie par l'essence, songeant à notre évasion épidémique des routes de la terre, à laquelle il ne pouvait prétendre encore à se joindre. Soudain, il relevait la tête. Gregg ne se souvenait-il pas de ses revolvers reçus à Noël ? Ces petits arabes, ces petits asiatiques, son troupeau affamé, (quand lui, Gregg mangeait tous les jours et n'avait pas le corps couvert de lésions comme Oeil de Serpent et Baby Love cherchant une place vierge où se piquer), seraient les futurs agresseurs d'une chaîne d'épiceries dans le quartier. Pourquoi Gregg aurait-il senti une réticence, une once de scrupule, quand la voix du grand Cerveau lui rappelait que les chefs d'états eux-mêmes portaient des armes, et qu'après tout, aux États-Unis seulement, on commettait près de quatre cents meurtres par semaine ? Gregg serait un chevalier. En peu de temps, il allumerait de grands feux de haine.

Le soleil martelait nos fronts.

Nous nous lancions en hurlant sur les routes.

Le monde était à nous.

Nous n'avions plus ni faim ni soif, mais la nourriture

mexicaine et orientale que nous avions absorbée pendant quelques jours ne suffisait plus à nos chefs. Le Rat, Grave Digger, Deadman, nous initiaient bientôt à leurs besognes sanguinaires, Stone et moi. Comme tant d'autres parmi les plus jeunes, nous obéissions à leurs ordres dans le roulement de notre cavalerie de fer que nul n'entendait venir par les sentiers de la forêt. Nous allions égorger un porc à la ferme, déplumer des volatiles dans un champ. Nous devions maîtriser désormais le couteau, l'arme à feu. Nous n'étions plus Pierre et Stone, mais les soldats d'une future insurrection qui cernerait l'Amérique. Je regardais soudain en tremblant ces mains qui avaient jadis tenu l'archet d'un violon et joué du piano. Cédant à quelque coupable nostalgie, il me semblait revoir mon corps de jadis, tel que ma mère m'avait rêvé, beau et sain, mes incultes cheveux jusqu'à la taille. Ce blond sauvage que j'avais été parmi les noirs insulaires dont on avait natté les cheveux (n'étais-je pas ce Blanc africain se mirant dans des prunelles ennemies, mais si craintif qu'il leur dérobait même leurs nattes crépelées ?), ce corps revivait, éprouvait ses tremblements familiers devant la vie et le monde. Avec les entrailles d'une bête n'était-il pas temps que je le vide lui aussi de sa plaintive substance ? J'étais sale et puant, « un être grossier » eût dit ma mère. Mon torse nu était éclaboussé de sang et moi qui mangerais le soir sans faim, même si je ne partageais pas encore l'infaillible dureté de mes chefs, j'aurais aimé remplir le monde de ses criminels et le vider de ses martyrs, car pendant qu'il me semblait nécessaire de commettre des crimes pour survivre, comme me le dictait la voix du grand Cerveau, d'autres jeunes gens, dans les prisons de Belfast ou ailleurs, jeûnaient depuis 50 jours dans l'espoir d'obtenir un statut de prisonnier politique. Eux mouraient lâchement, me disais-je, nous léguant la tâche de la survie. Au cinquante et unième jour, ces activistes seraient raides sous le voile noir de la faim ; ils auraient perdu en vain la vitalité de leur jeunesse. Qui parlerait d'eux puisque l'histoire n'était faite que de détails scabreux ? On se souvenait des trémoussements de Hitler sur une plate-forme, devant une foule en délire. De même, une tache claire sur le poumon d'un chef d'état éclipserait, dans les nouvelles du matin, l'immolation de plusieurs vies et de leurs idéaux, dans une prison de Belfast. Le trémoussement d'un solliciteur à la folie collective, comme la tache, sur le poumon d'un chef d'état à qui on avait dû extraire une balle, appartenaient pourtant au même diagnostic d'une civilisation malade. Le chef d'état aurait une convalescence heureuse dans ses appartements privés. Fidèle à ses engagements, il irait bientôt au Mexique, en Californie. Ses tics passeraient seuls à l'histoire et le nom de Bobby Sands serait vite oublié.

Pendant ce temps, Le Rat, Grave Digger, Deadman zigzaguaient sur les routes, trimbalant leurs victuailles sur leurs dos pour le festin du soir, notre commando brisant l'immuable silence des bois et des forêts, jaloux de tant de douceur, sous nos roues d'acier. Pleurni-cheuse, la petite paysanne était parmi ses poules ; elle tremblait à notre approche comme une plante inclinée par le vent, gardienne d'une pastorale éternité qui ne basculait que pour nous, avec le ciel bleu, les prairies odorantes, dans le tintamarre d'un enfer que nous étions les seuls à entendre sous le chant des oiseaux et le cri des cigales.

Nous descendions vers nos gouffres de terreur, sans chaleur et sans vie, Stone et moi, sachant seule-ment combien nous étions solidaires et armés pour le combat. J'entendais la voix de Lisa demandant à mon père : « Comment était-ce papa, ce jour-là ? Était-ce

71

bien vrai l'histoire de la poupée calcinée sous un parasol ? » « Oui, tout était vrai », disait mon père. Huit millions de personnes erraient sans abri, erraient, longtemps après, pendant des mois, des années. Embué d'une fumée noire, le ciel imprégnait toute la terre de ses cendres et longtemps après, on réparait encore les routes au Vietnam. Des millions d'hommes, d'obus crevassaient le sol désormais stérile. Dans leurs vêtements en flammes, des petites filles comme Sophie, Lisa, couraient aux abords de leur village pillé, brûlé. Beaucoup plus tard, le brasier de leur dos ne guérirait pas. Lorsqu'il ferait froid, lorsqu'il ferait chaud, elles continueraient de souffrir, honteuses de ces plaies béantes, de ces brunes cicatrices qui jamais ne se refermeraient.

La fillette regardait le ciel bleu, Stone et moi, ces lugubres apparitions dans son champ, parmi ses fleurs. Les larmes séchaient sur son visage ébloui par le soleil. Le Rat, Grave Digger, Deadman rôdaient autour, dans les sentiers de la forêt. Voyant une rivière qui coulait près de nous, nous avions oublié la bande pour nous y jeter nus et j'avais retrouvé mes empreintes sur le corps de Stone — Stone, propriété du Vieil Homme ou rapt de Pierre ? Nous étions avides et seuls, dans un ruissellement d'eau, et de lumière, sur nos peaux soudain propres et lustrées.

La petite fille jouait dans son champ et ne pensait plus à nous.

Aucun son que le gémissement de l'amour, le tintamarre guerrier ne s'était-il pas tu ?

Soudain, ils revinrent, le Rat, Grave Digger, Deadman et un autre que je ne connaissais pas, « Hé, Brothers », hurlaient-ils, en nous encerclant. Nous étions debout, Stone, propriété ancienne des Bros. Stone leur tendait ses lèvres vermeilles, sa langue, Stone, propriété de Cheddy Bear, dont elle lécherait les poils hirsutes et le sexe.

À peine sorti du ventre de Stone et de nos ébrouements dans la rivière, je frissonnais de froid contre un arbre, l'eau glacée s'égouttant encore de mes épaules : tel était donc ce spectacle de la brutalité de l'instinct que j'avais souvent imaginé en pensant au Vieil Homme, dans sa prison du Nebraska : Stone, qui était à moi, donnait sa bouche, l'indécence de ses yeux, leur lascive curiosité à ce barbu qui l'appelait comme le Vieil Homme dans ses lettres : « *My Stone, my meat, my foxy nympho* ». Et lui qui avait l'habitude toute la journée de ces plaisirs goulus que j'avais toujours enviés, les prenait des lèvres de Stone, sans en jouir, en bâillant même et avec de lents sursauts de nonchalance. Aveuglé par le soleil, j'avais vu la triomphante arrivée de Cheddy Bear sur sa Davidson (un vieux modèle qu'il avait tatoué comme lui-même de chevaux volants et d'aigles). Sa grosse tête m'avait semblé difforme sous le bandeau blanc qui en retenait la tignasse rousse et j'avais pensé, « c'est lui, l'ours, l'étalon, ce symbole d'une basse sexualité qui servira, aux uns comme aux autres, de haltes, le temps d'une guerre ». Le Rat, Grave Digger, Deadman épiaient aussi le parfum femelle de Stone. On eût dit que toute la forêt que les frères appelaient Jungleland, chuchotait ces mots écrits sur le t-shirt de Grave Digger : *I am in heat,* et que dans la fracassante lumière de l'après-midi, les bouches, les sexes avaient la couleur du sang. Ici, se reposaient, se délectaient, avant de reprendre les armes pour les combats des villes et des rues, et l'invasion des villas de la Côte d'Or, ces barbares pressés de répandre leur sperme. Demain, ils n'en n'auraient peut-être pas le temps. Mes yeux fixaient Stone. Ses cheveux recommençaient à pousser, l'une des mèches, sur le côté, qu'elle avait teinte d'une coloration violacée déteignait sur ses joues après le bain. Je ne la distinguais désormais parmi ces sauvages que par cette courte chaîne d'argent que nous avions l'un et l'autre suspendue au lobe de notre oreille droite. Je pensais soudain aux héros de ma mère. En cet été 81, le pieux Werther n'était-il pas devenu un fasciste et terroriste ? Il posait des bombes dans les trains des villes d'Europe. Rimbaud, niait, lui, les larmoiements de l'écriture pour le trafic d'armes et de drogues. Son aventure de spéculateur le poussait à New York, au Pérou, puis en Bolivie où il complétait avec quelque réseau clandestin ces transactions qu'il avait depuis longtemps prévues avec subtilité. C'était un élégant charmeur qui voyageait beaucoup ; sa vie n'était qu'une bulle d'éther qui crèverait très vite. Aussi quittait-il rapidement la Bolivie à destination de Rio de Janeiro, puis allait du Vénézuela à Trinidad, transportant avec dédain sous le flair des policiers, ses 1200 grammes de cocaïne pure dans des valises à double fond. Il dépensait de frauduleuses sommes d'argent auprès de ses amis et maîtresses et souvent il mourait seul, tué d'une balle dans la tête, lors d'un règlement de comptes. Lorsqu'on saisissait ses stocks d'héroïne achetés avec tant de bravoure, son corps que nul ne venait reconnaître gisait à proximité de sa camionnette au bord d'un fossé. Ce héros d'aujourd'hui s'appelait Cheddy Bear, le Rat ou Grave Digger. Il vivait parmi les siens dans sa jungle et n'avait gardé de ses aïeux que quelques inscriptions historiques qui animaient encore sa violence, ainsi ce tatouage d'une croix gammée, sur les bras de Grave Digger, Deadman, le Rat, que je voyais briller au soleil. Le passé du monde n'était que poussières, me disais-je. En l'an 2000 on ne se souviendrait plus d'avoir peint, écrit des livres.

Chacun serait un guerrier.

Ma mère qui mettait en doute que le monde ne fût créé et gouverné que par des hommes imprimait dans l'esprit de ses filles le culte de ses propres héroïnes : elle ouvrait sous les yeux de Lisa, de Sophie, un album de vies légendaires d'où notre violence était bannie. Dans ce monde privé de nos cupidités mâles, la traversée de l'Atlantique, par Amélia Earhart en 1937 ou toute autre performance d'artistes, d'écrivains, d'athlètes qui étaient des femmes, enflammait l'imagination de mes soeurs de façon insidieuse. L'ère de l'an 2000 était soudain pour elles celle des nobles espoirs, et des nobles visages : Lisa serait demain un pilote courageux ou un peintre novateur comme Mary Cassatt. Elle mourrait seule au-dessus de l'Océan Pacifique. On ne parviendrait pas à déchiffrer sa mystérieuse mort dans ce SOS final transmis jusqu'à nous par un poste émetteur. Lisa irait étudier la peinture en Europe. Comme le peintre impressionniste, elle ne serait jamais bourgeoise, ne céderait à aucune dictature sociale. Mais Lisa, comme Sophie, aimait son père, sa mère, n'avait aucune envie de leur désobéir. Il y avait Pierre, c'était le sexe ennemi, celui du traître, de l'envahisseur ; l'entente entre l'homme et la femme devait être brisée. Sous l'atome, le granit, verrait-on encore le ciel, les océans, comme les avait vus une jeune fille qui traversait seule l'Atlantique ? Elle avait vu l'univers dans sa sidérale clarté, si vite, si brièvement, disait ma mère à Lisa, deux ans avant qu'il ne sombre dans la noirceur et le sang. Sous l'atome, le granit, voyait-on encore la lumière du ciel, de l'océan ? « Tu seras, toi, Lisa, l'être nouveau, dans un monde nouveau, disait ma mère toi, Sophie, ton père et moi. . . et tous ceux que tu ne connais pas. . . »

SOS.

La chétive voix d'Amélia Earhart se perdait dans les vagues de l'océan. Elles oubliaient, ces âmes pacifiques,que nous étions partout inexpugnables. Le ciel d'été, l'air si pur, comme le viol de Stone dans les cavités d'une forêt, tout nous appartenait. Leur ciel était celui de nos avions destructeurs, comme la mer, les océans étaient les tremplins de nos bases navales. Oeil de Serpent, Baby Love n'avaient qu'à obéir aveuglément aux ordres du grand Cerveau et soudain, à leur dix-huitième année, ces mers, ces océans seraient à eux.

Rumors of wars, rumors of wars, chantaient-ils en dansant dans les rues de Harlem. « Dans la marine, l'armée, disait le grand Cerveau, vous serez mes fils respectés. Vous pourrez épouser à votre tour la guerrière folie romanesque des jeunes gens de votre âge. » Et ils quittaient la rue, le ghetto, pour se retrouver devant une pancarte où il était écrit *Soldiers Compound* dans un jardin de roses. C'était au loin, près de la mer, de l'océan dont ils avaient longtemps méconnu l'existence. Mais l'univers était beau. Le regard inquiet pourtant ils cherchaient les soldats : à cette heure crépusculaire on ne les voyait pas. Sur le fil de l'eau, un vaisseau translucide les attendait (était-ce là le sous-marin de leur enfance avec lequel ils n'avaient jamais pu jouer comme les petits Blancs qui en démantelaient les pièces avec soin, dans leurs maisons, en hiver, pendant que Baby Love, Oeil de Serpent, eux, erraient dans les rues ?). Le jeune homme avançait prudemment sur le pont, dans les lueurs du soleil couchant. Un homme de grade supérieur, un dieu blond en uniforme s'approchait de Baby Love et s'inclinait devant lui. Baby Love ou Oeil de Serpent répondait à cette inclination un peu raide par un salut qu'on lui avait appris, ce salut des sentinelles dans le jardin de roses. La mer était iridescente et Baby Love qui n'avait jamais eu de toit arrivait chez lui, parmi les siens, dans le royaume de la masculinité, marchandant sa liberté et la sauvagerie de ses combats de rue parmi les siens pour ce moment de rêve, sous les drapeaux. Devant cette embarcation et son équipage de missiles qu'on ne voyait pas sous les eaux il oubliait tout, que dans certaines stations de radio dans son pays on avait incité ses concitoyens à la médisance raciale, que dans les sermons des églises chrétiennes on appelait Baby Love et ses frères « les enfants de Satan », qu'en cette année 81, Baby Love devait fuir, car on souhaitait encore le ligoter. La voix du grand Cerveau disait à l'oreille de Baby Love, « reviens, reviens chez toi », un commandant s'inclinait devant lui, et docilement, sans appréhension, ému, dans sa trouble fierté patriotique, Baby Love rentrait chez lui, dans ce spacieux vaisseau où semblaient dormir tant d'hommes et leurs armes, à cette heure où le soleil se couchait sur la mer.

Pendant que Cheddy Bear exposait sa sarcastique bestialité au soleil, je pensais qu'il avait sans doute, lui aussi, obéi jadis à la voix du grand Cerveau. Comme tout motard dont le destin était une nette orientation vers le crime et ses besognes, n'avait-il pas dû comme je l'avais fait moi-même dans mon milieu manifester officiellement ses convictions, être repoussant, odieux provocateur, découvrir la hiérarchie des frères, acquérir par un timide hold-up ou une tentative de commerce d'amphétamines, dans les bars, sa prestigieuse moto Harley, ramener à l'entrepôt de son club, soigneusement cachées dans un village paisible, Stone ou quelques autres souris, punaises, de la « viande » qui apaiseraient la faim des vingt hommes de son club ? N'avait-il pas obéi, lui aussi, à ces sévères lois de la force auxquelles je me pliais à mon tour ? Stone ne m'avait-elle pas dit qu'elle n'avait de prix pour Cheddy Bear et la bande que si elle était menstruée ? Cheddy Bear eût ainsi mérité à son blouson des ailes pourpres ; atteinte de la syphilis, Stone eût obtenu à Cheddy Bear des ailes vertes, et morte, son cadavre l'eût hautement honoré. Mais Stone était vivante, sensuelle et ne désirait pas quitter Cheddy Bear, le Vieil Homme ou les autres. L'aurait-elle fait, qu'on eût marqué ses seins « d'une cuillère chauffée au rouge » ; Cheddy Bear n'était qu'un motard banal. Ses supérieurs, les « capos », les présidents de section, roulaient dans des voitures luxueuses et utilisaient rarement leurs motos. Stone ne valait pas même deux cents dollars si on l'avait vendue, sur le marché de la Jungle. Cheddy Bear me la lança en riant, Stone prit sa salopette qui traînait dans l'herbe, elle vint s'asseoir derrière moi, je sentais ses bras et ses mains autour de mon torse et sa tête à nouveau casquée qui fléchissait sur mon épaule.

Nous reprenions l'autoroute.
Ils partaient en vacances, quittaient leurs pelouses étroites, le toit bas de leurs résidences sans identité, telles des boîtes de carton ou de tôle garnies de quelques herbes, d'un même alignement de fleurs. Ils obstruaient notre espace, bouchaient notre ciel, avec leurs pâles enfants dégénérés, leurs femmes et leurs vieillards, les uns comme les autres, incarcérés dans des voitures, des minibus semblables à des corbillards d'aluminium, d'acier, oubliant que les routes étaient à nous, que nous en tenions les cordons par groupes serrés de deux, de quatre, Cheddy Bear, Grave Digger, en chefs de file, et que nous allions envahir et salir avant eux cette mer, cet océan dont ils étaient chaque année plus insatiables, ces plages où ils relâcheraient bientôt leur sordide progéniture qui ne faisait que croître alors que les uns comme les autres, ils seraient bientôt tous anéantis.

Je me disais que ce n'était pas le ciel qui s'étendait au-dessus de nous, moins encore son évanescence bleue qu'on eût déchirée d'une pointe de l'ongle ou de la lame d'un couteau sous l'euphorie de la drogue, bien que j'eusse toujours trop de conscience pour être

79

drogué. Ce que je voyais à la lisière de mon casque et qui m'attirait plus que le ciel, c'était encore une fois, avec les tableaux publicitaires des autoroutes, le panorama de mes mâles certitudes, sous ce ciel où aucun nuage ne passait, comme s'il eût été non seulement béatement bleu, mais vide. Le grand Cerveau ne me disait-il pas que ce ciel que je voyais fuir si vite, dans la rapacité de mes sens, avec les plaies vives du corps de Stone que j'avais léchées dans la forêt, après le viol des Frères, la mèche de ses cheveux que j'avais tenue entre mes dents comme la fourrure d'un animal mouillé, que ce ciel était le lieu de toutes les concupiscences des hommes, puisqu'un quelconque homme d'affaires y montait à toute heure, avec sa mince valise de cuir où une hôtesse lui offrait un fauteuil en première classe ? Il partait en mission dans un boeing équipé pour lui seul, dans un UTA ou un TWA, vers Singapour ou Sydney ; on le transportait partout, sur les lignes d'Amérique et d'Europe, il pouvait aller à Vienne où il se passionnerait d'architecture moderne, où son humeur nostalgique, mais déjà défunte au passé, irait languir dans d'anciens palais et châteaux, car cet homme encore jeune serait peut-être l'homme mûr de l'an 2000, ce bâtisseur qui ouvrirait des boutiques dans ce Nouveau Vienne avec lequel l'Ancien ne pourrait plus cohabiter. Il pouvait aussi atteindre les ports d'Irlande, en bateau, l'espace serpenté de routes dominant le Shannon, le Connemara. Absorbé par de froids calculs, il ne verrait aucun de ces paysages d'eau et de ciel, il irait en s'essoufflant sur les rochers, parmi les mouettes, contemplant le fantôme de ces hôtels qu'il construirait ici demain sur ces rives encore virginales, en respirant cet air venu des profondeurs de l'océan, cet air qui était le sien partout. Touché par la pensée de sa propre longévité sur cette terre, avec la voiture

Mazda dont il aimait la ligne et le dessin sombre et discret qui était celui de son costume, ou encore la Mercedes, cette machine d'air qui lui semblait suspendue à sa virilité, il se sentait confortablement immortel, projeté en ce puissant avenir électronique, aérodynamique, auquel il était le seul à avoir accès. Grâce à cette publicité affichant partout ses panneaux sous le ciel, l'érotomanie de l'homme d'affaires, comme la mienne, était satisfaite avant que naissent les désirs : une même femme blonde ou brune accourait partout vers lui, empressée de servir ses licencieuses envies, parfois à peine vêtue d'un drap qui louait la moëlleuse douceur d'un matelas ou du lit, parfois plus recueillie dans sa soumission, ne montrant qu'un cou lisse sous un collier en or à dix-huit carats qu'une fervente main masculine venait de poser sur cette chair au repos, frissonnante encore. Cette femme visible ou invisible dont nous étions les impulsifs propriétaires je la préférais lorsqu'elle disparaissait complètement, car dans cette osmose qui l'absorbait, le grand Cerveau l'emmagasinait davantage dans mes sens. Ainsi s'accouplait-elle à tout, à une marque de voiture comme à la fraîcheur des fruits d'été, dans un bol, ou bien — liquide, friable, — elle était aussi cette liqueur de framboises, nageant parmi les glaçons dans une coupe de cristal. Mais ce que le grand Cerveau cachait habilement à tous, sous l'image de la femme au collier dix-huit carats ou celle de la royale Liqueur de France, comme sous la majesté des marques de voiture et l'essor de leurs performances, c'était l'actuelle épopée de l'histoire dont nous étions aussi les géniteurs. Pourquoi n'assistions-nous pas sur les autoroutes, avait un jour demandé Lisa à mon père, comme à la télévision à l'heure du dîner, au spectacle de la sécheresse qui sévissait alors en Afrique du Sud, aux fléaux de la sécheresse, de la famine ou du choléra, au

Mozambique ou dans la zone sahélienne ? pourquoi ces panneaux publicitaires le long des routes ne disaient-ils pas la vérité, demandait Lisa. « Afin que chacun oublie à mesure », avait répondu mon père, ajoutant qu'il faisait aussi très beau, en Afrique du Sud, que sous l'inexhaustible flamme du soleil les rares eaux de pluie stagnaient, n'abreuvaient plus les rivières et les fleuves. La récolte des céréales en était réduite. Mais en l'an 2000 on ne verrait plus ces fléaux au Mozambique ou ailleurs, disait mon père à Lisa. Lisa parlait ensuite de ce récit qu'elle avait lu. En Inde du Nord, on avait vu un troupeau de tigres devenir des mangeurs d'hommes. C'était bien notre faute, on les avait privés de leur habitat. Ils allaient, tigres et tigressses, adolescents ou vieux, par groupes solitaires au pied de l'Himalaya, dévorant l'ouvrier et le paysan, comme hier ils mangeaient le buffle ou l'antilope. Ils avaient déjà tué près de cent personnes dans un village. Si l'Inde est trop petite pour nourrir ses fauves d'un peu de verdure, répondait mon père, comment veux-tu qu'elle apaise aussi la faim de ses enfants ? Lisa disait qu'elle comprenait que les tigres tuent par vengeance, souvent d'une morsure à la nuque, ces mêmes paysans et ces mêmes ouvriers qui avaient massacré tant de tigres. Les princes d'un village possédaient 1150 de leurs têtes qu'ils montraient aux touristes comme des trophées. Quelques-uns vivaient libres et heureux, répondait mon père, une poignée en Sibérie, au Bengale. Mais en Birmanie, on les chasse pour leur peau, disait Lisa, et en Chine il n'y en a déjà plus.

Je n'avais plus à les écouter, autour d'une table, le temps des devoirs, ou lorsque mon père allait les chercher après l'école, Sophie, Lisa. Je filais, décontracté, sur les routes, fixant l'horizon, sa ligne terne. Mais je pensais soudain, sous cette aveuglante lumière qui m'étourdissait, que mon père chassait

Dieu comme il traquait hier pour Sophie, Lisa, le dernier tigre du Bengale dont il eût voulu préserver la descendance. Ces vestiges de dévotion n'étaient pas ceux de la catholicité à laquelle il n'adhérait pas, mais le fruit errant de son paganisme. Chasseur de bien comme ces écologistes, géologues, rescapant entre les débris un peu de notre terre, il chassait les ermites ou leur foi en Chine, en Mongolie, et rêvait de se nourrir comme eux de radis et de pommes de terre alors que sa gourmandise le lui interdisait. Matérialiste comme tous les hommes de son temps, il préférait sa femme, sa maison, aux éruptives visions de Confucius à quinze ans qui l'eussent déraciné de ce monde qui le troublait tant, où montaient par delà les collines chastes de la Mongolie et les quelques bonzes recueillis, oubliés, qui rendaient encore un culte à Bouddha par delà ces cimes et ces rochers où régnaient le froid, l'ignorance et la paix, les échos de guerre de la jeune Révolution, et plus bas, loin de ces paysages qui n'avaient pas été tachés de sang, nos pas, nos pas qui gravissaient aussi dans un frottement d'acier.

À l'heure où déclinait le soleil, nous installions partout notre campement débraillé, au bord de la mer, dans la forêt ou dans les champs et pendant que les plus jeunes préparaient le repas du soir, je voyais, agenouillés auprès de Stone dans les rougeurs du feu, Le Rat, Cheddy Bear, Grave Digger, convoqués pour la prière. Car ils priaient eux aussi, peu de temps avant de se gaver de bière et de porc. Ils se lamentaient entre chefs égrenant la litanie de leurs morts, prisonniers et disparus. Il y avait Steve dont la peine serait longue
Steve entre six et douze ans
down down pour vol à main armée
meurtre
aussi

down Steve
ce serait l'éternité là-bas
à Pendleton
dans ce creux ce trou
Gangster avait vingt-trois ans
les cheveux blonds
les yeux bleus où était-il
in the slammer in Ohio
down down
Gros Nul avait écrit à Cheddy Bear qu'il vivrait plus tard
à la campagne avec une granny sage très sage
en attendant
c'était l'enfer
down there
au Texas jusqu'en 1999 s'il n'obtenait pas de secours
légal.
Les souris l'avaient oublié
ne lui écrivaient pas
Bill était réformé à Tampa
Cheddy Bear pensait tous les jours à Bubba tué par un
camionneur sur la route et qui buvait désormais sa
téquila en paix.
the last run
Steve amen
là-haut
c'était la Californie sans nuages où roulaient les Frères
sous la caresse du vent
tu ne nous as pas quittés Steve
tu nous as précédés sur la route
là haut c'est sans danger petit frère
ride free ride free
cette fille Chick
son frère
qu'on appelait le Juif
son mari Grosse Mâchoire

tombés sur la route
ils étaient tous
là-haut les *buddies* les *brothers*
se souvenaient-ils
se souvenaient-ils de Smoke
dix-huit ans
qui volait
là-haut parmi les siens
Smoke il venait de Detroit
dead dead Smoke Steve
des fontaines de sang sur l'asphalte
l'herbe des fossés trempée quand on trouvait les corps
des corps sans tête
they died too fast
dead dead they are dead
but too fast too fast
Steve Smoke Bubba disparus
les cheveux blonds les yeux bleus
disparus
dead dead
Ces sons fatidiques, pleins de la morne condoléance de
nos chefs, Cheddy Bear, Grave Digger, Le Rat, marte-
laient nos fronts, nos tempes comme le tintement des
baguettes sur un tambour. Ces titans, Smoke, Bubba,
Steve, semblaient frétiller encore dans cet air brûlant où
leurs vies encore pleines de sève s'étaient arrêtées. Tout
disloqués et sanguinolents dans leurs armures de fer,
n'allaient-ils pas bientôt recommencer leur escapade
sous ce même ciel rouge qui les avait vus expirer ? Le
visage de Stone touchant le mien, pendant qu'elle
attisait le feu sous de suantes brochettes de viande, je
pensais en voulant mordre ses lèvres charnues, nous
sommes vivants, nous, Smoke est mort, mais nous
sommes vivants.

Nous nous écartions bientôt du brasier avec crainte

car les ogres approchaient, dépeçant la viande avec des mains gluantes de graisse qu'ils essuyaient sur leurs t-shirts, dédaignant ensuite leurs femmes. D'un corps souvent avachi, beau, furibond, contrarié, ils étreignaient leur Kawasaki ou leur Honda qui étaient béantes pour eux, alignant un massif équipage or et noir sur les fleurs tendres.

Parfois la nuit, on rembourrait de foin un vieux jean, une chemisette, on couchait sur une chaise-longue la rondouillarde effigie de Cheddy Bear tenant une bière dans le creux du coude, et posait la tête du cochon tué le jour même au sommet de ce corps burlesque. Le Rat, lui, préférait imiter la posture d'un crucifié, déposant entre ses cuisses une fille à la langue tendue. Voilà ce qui régnait sur tous, me disais-je, une tête porcine dont les yeux comme les narines n'avaient de percée que sur la noirceur de l'homme privé d'intelligence et de jugement. Le Rat, ce débauché en croix se moquait d'une léthale rédemption du monde qui n'avait jamais eu lieu. Mon père athée avait poursuivi aux confins de l'Asie le dieu des vivants, quand les dieux des morts étaient ici, parmi Cheddy Bear, Grave Digger, le Rat : ces dieux ne pouvaient plus être ceux de la vie puisque nous étions en guerre. Comme une fumée de sang s'élevant d'un champ de bataille, la vie de Smoke s'était éteinte, refusant de se refroidir puisqu'elle réchauffait encore mes veines et excitait mes nerfs.

En ce printemps 81, le sexe n'était-il pas aussi la guerre de religion de Cheddy Bear, Grave Digger, le sexe et la démence, car le grand Cerveau distribuait en chacun de nous sa paranoïa ? Cette voix du grand Cerveau qui nous répétait, « tuez, tuez », le Révérend Jones l'avait entendue lui aussi et il avait offert avec lui-même sa moisson de soldats volontaires, femmes,

86

hommes ou enfants. Un repos collectif les avait enfin unis ; la douce fiancée noire, comme le scrupuleux adolescent de race blanche, avaient dormi côte à côte dans les plaines de la Guyane et le Révérend Tueur avit été touché par la grâce. Le mercenaire comme l'ancien combattant du Vietnam avaient trouvé en lui un père, un père, un ami. Un bon fils qui avait déserté les siens avait confié avant de mourir à ce paternel sein démoniaque : « Je voudrais prendre un couteau et ouvrir le ventre de mes parents pour y placer du poison. » Le Révérend avait ri, car tout cela était bien. La voix du grand Cerveau prêchait partout. À Téhéran, elle restaurait la loi du talion, avec le retour aux principes de l'Islam. Allah avait dit : « Ne tuez pas. » La voix du grand Cerveau disait que le droit à la vengeance était islamique. On pouvait exécuter ce droit en ayant recours à l'arme à feu ou au sabre, on pouvait aussi couper un bras, une jambe. La barbarie de ces coutumes tant redoutée par les fedayins triomphait avec la justice islamique de notre nouveau Moyen-âge.

Mais il y avait aussi ceux qui avaient vu le ciel, ces familles jéhoviennes et leurs Christ de l'an 2000 encore en bas âge, ces temples, ces nurseries où l'on propageait le message biblique. Eux avaient vu le Royaume de Dieu ; apaisés par la Bonne Nouvelle leurs enfants sains, implacables, grandissaient entourés d'orateurs semant, avec les phrases de l'Écriture, le châtiment des hérétiques, et ces propos d'une acide moralité qui ouvriraient demain les portes du paradis. « L'Univers, disait la Bible, sera un jour consumé dans un cataclysme. » Cheddy Bear, Grave Digger, Le Rat, savaient comme moi qu'en Iran comme ailleurs, les pendaisons, les exécutions de milliers d'hommes, femmes et enfants, n'étaient encore que les clandestins exercices du grand Cerveau et qu'en attendant la fuite suspecte d'un chef d'état vers son archipel de Doomsday ou le bungalow où il échapperait à ses propres meurtres, avec ses conseillers et ses prêtres, ses orateurs et ses prêcheurs, ils n'étaient dans la jungle que des rats ou des sangliers. Cheddy Bear, Le Rat, Grave Digger dans un ricanement ou un blasphème regardaient le cataclysme de cet univers, déjà en fumée...

Souvent, après ces heures d'initiation aux rites des chefs, je faisais l'amour avec Stone dehors ou sous la tente et je remarquais que nos bouches, jadis avares de paroles, ne s'exprimaient plus que par des cris, des hurlements. Je dormais d'un sommeil précipité, comme l'avait été le mouvement de nos corps nerveux, impatients, rêvant à ces scènes du passé que je croyais si loin de moi, dans ma nouvelle existence. J'étais à Trinidad, avec mes parents, nous cherchions un musée archéologique au sujet duquel mon père devait écrire. Nous n'allions trouver qu'un manoir à l'abandon transformé en couvent pour jeunes filles de bonne famille où un vieux gardien les regardait sauter à la corde avec apathie : en m'approchant de l'une d'elles, guidé vers de lourdes tresses sombres sautillant sur l'étroit dos en sueur, alourdi aussi par la bourdonnante sensualité de cette serre tropicale, j'avais été offensé par l'apparition d'un pou visqueux sur le tissu d'une blouse blanche. Nous marchions serrés, les uns près des autres, avec mes sœurs au milieu, car dans la densité de cette lumière noire qui baignait cette population africaine et hindoue, n'étions-nous pas dans notre singularité de Blancs isolés sur cette pointe d'île dont toutes les maisons étaient grillagées, l'opprobre de notre race ? Peureux et visibles, comme si on nous eût filtrés à la lumière de ce soleil de plomb, nous sentions rôder autour de nous l'impotente criminalité des misérables. Ainsi j'avais dû repousser avec des gestes véhéments un jeune africain qui avait tenté de dérober à ma mère son sac et je revoyais souvent cette scène, en rêve, et cette confusion entre la joie et la peine, dans les yeux de ma mère qui semblait me dire : « Est-ce donc si nécessaire d'être violent pour me protéger ? Pourquoi cette brutalité dans la nature de mon fils ? » Parfois nous étions tous ensemble sur une plage, nous parlant à voix basse ; pas très loin de nous, suivant la coutume qui avait traversé les océans et les âges, des Hindous brûlaient leurs morts, un drapeau blanc flottait au-dessus des os évanouis et, couché sur le dos, les yeux levés vers un ciel gonflé d'orages, j'entendais mes parents nous dire qu'ils avaient toujours banni les principes démodés de la psychologie dans l'éducation des enfants, leur préférant l'amour enjoué, caressant. Ils s'enlaçaient et nous enlaçaient aussi. Ils semblaient amoureux de nous. Couché sur l'éparpillement de mes longs cheveux, dans le sable, je riais sous leurs baisers. Gentils animaux, me disais-je, par quelle innocence allaient-ils ignorer si longtemps ma force et la dureté de mes désirs ?

Je me réveillais aux côtés de Stone qui respirait calmement, on eût dit que les Frères ne l'avaient jamais déflorée tant son corps reposait légèrement sur l'herbe — cette herbe déjà couverte de déchets de boissons ou de nourritures. Elle dormait sur le ventre, les jambes écarquillées, nue mais enfantine, comme Lisa. Lisa, Sophie qui obéissaient d'instinct comme mon père, ma mère, à une révolution qui accusait nos rôles mâles dans ce monde, ou du moins, une révolution sourde et agressive qui osait nous affronter, nous qui étions immuables. Le regard de Stone pouvait être tour à tour corrosif ou glacé, mais elle dormait. Cette fragilité du sommeil me blessait soudain car je me rappelais qu'elle était, elle aussi, une femme. Une femme comme Tatiana Mamonova qu'on avait expulsée de Russie en ce printemps 81. Ma mère en avait parlé à mes soeurs avant mon départ. La dictature d'une pensée rivale se poursuivait donc sans nous, pendant que nous étions sur les routes, avec de faibles préparatifs de guerre. Et on entendait cette voix d'une expulsée qui écrivait et publiait. On avait vu naître un premier journal féministe soviétique et cette voix disait à ma mère, à Sophie et Lisa : « Accordez votre soutien au Mouvement des femmes, en Russie, protestez, oui, protestez contre la manipulation politique de ces hommes dangereux. » Ce n'était qu'une jeune femme, en apparence timide mais on devinait la volonté de son esprit dans son regard bleu, sous de lourdes lunettes d'écaille. Vêtue comme ma mère d'un t-shirt et d'un pantalon, aimant comme elle ce slogan, *Women Unite* qu'elle montrait partout, elle ne lui était différente que parce qu'elle portait sur sa tête un fichu noué à la russe ; elle était comme elle une artiste, peintre et poète. On avait admiré ses talents, son éloquence lorsqu'elle parlait des femmes à la télévision de Léningrad. Ma mère ne portait pas de fichu et elle était libre, si libre qu'elle avait protesté elle aussi, parmi d'autres femmes, ses amies, à l'invasion de la Tchécoslovaquie par les chars russes. On ne l'avait pas convoquée ni arrêtée comme Tatiana Mamonova. Elle s'était liée à mon père lorsqu'il avait condamné le mensonge de nos politiciens ambitieux, fournissant indirectement des armes, par Israël, au Salvador. Dans ces tueries d'un peuple innocent, nous n'étions pas neutres. Ces mots n'avaient pas été censurés comme les poèmes de Tatiana Mamonova. On ne l'avait pas épiée, surveillée. Elle était pourtant elle aussi antitotalitaire, ni socialiste ni marxiste comme Tatiana Mamonova, et pourtant le grand Cerveau seul avait raison, car bien qu'on eût entendu les voix de Tatiana Mamonova à Paris où elle était en exil, aux États-Unis,

90

en Grèce, en Italie, en Suisse, les chars russes avaient envahi la Tchécoslovaquie. On fournissait encore des armes au Salvador.

Mais si Stone était une femme, si elle possédait le sexe de ma mère et de Tatiana Mamonova, si leurs deux esprits travaillaient ouvertement à l'évacuation d'une espèce qu'elles jugeaient mauvaise, la nôtre, je savais que Stone avait été acquise par une tribu de pilleurs, que si donc elle était encore femme, ce n'était que pour nous. Elle étirait son corps rugueux dans une aube invariablement belle, rejetant avec une moue l'utopie de cette nature qui nous leurrait.

Ces familles qui avaient fui notre bande, notre campement partout mobile et effréné, dormaient encore sous la tente ; rôtis tout le jour sous le flambeau du soleil, ces hommes, ces femmes, ces enfants n'écoutaient plus la voix du grand Cerveau qui leur répétait plusieurs fois par jour, à la radio, à la télévision, « lorsque vous entendrez ces quelques sons, vous serez en état d'alerte ». Dans l'oisiveté de leurs vacances, ils somnolaient, emmêlés et chauds, inconscients de l'ultime cuisson qui approchait. « C'est cela, l'Atlantique », disait Stone, en me désignant du doigt cette eau bleue, comme le ciel, dont les parois internes, les couches inférieures n'étaient pas composées que de lumière et d'eau, mais de feu. Mes yeux qui n'étaient pas hallucinés voyaient le feu courir sous les vagues, avec une flottille en route vers Cuba. Cet océan transportait sous sa luminescence des panoplies d'armes vers l'Arabie Saoudite ; partout le même, sous tous les régimes, l'océan brûlait. N'avais-je pas déjà dit à mon père offensé par mes idées que l'étudiant penché sur l'oeuvre de Shakespeare récitant le nom de ces coupables, Macbeth ou Lady Macbeth, eût mieux fait d'apprendre le nom de ces navires chargés de culpabilités qui allaient silencieusement vers les ports des Caraïbes ? Il eût mieux fait aussi de déceler la poésie funeste que contenaient ces quelques phrases : « La ligne de Radar Dew qui sert à déclencher une attaque nucléaire soviétique sur l'Amérique du Nord. » *Dew*, l'aube, la rosée de l'atmosphère. Que penser aussi de ces 10 000 missiles anti-chars téléguidés ? Eux, c'était *Tow*. Le grand Cerveau ne parlait-il pas toutes les langues, tous les dialectes ? *Dew* — la rosée des champs. *Tow* — un insecte bourdonnant dans la volupté estivale. Et sous cette volatile poésie qu'y avait-il ? *Dew*, le mot rosée pour holocauste. Ces mots aussi nageaient avec Stone et moi, dans les vagues. Je ne lirais jamais Shakespeare dans le cœur empoisonné de l'océan. Le vrai crime était là, c'était un crime viril que je pouvais toucher et qui dépassait les crimes d'une femme dont mon père avait dit « qu'elle avait été la plus méchante des femmes », comme si elle eût vraiment existé alors que nous étions et avions toujours été les seuls maîtres de cet art de tuer.

Cheddy Bear, Le Rat, Grave Digger, répétaient comme le grand Cerveau que nous étions en état d'alerte. Il y avait encore une longue route à parcourir avant d'atteindre la Côte d'Or, ses millionnaires et ses princes. L'alerte s'infiltrait déjà partout, parmi les pauvres et les déchus comme ces campeurs venus de si loin, ces réfugiés aux visages réjouis qui me semblaient soudain sans ville, sans village, sans patrie, sans maison, sous la menace qui pesait sur eux, car comme nous le disaient Cheddy Bear, Le Rat, Grave Digger, nous allions réveiller ces dormeurs, *ya man, wake them up for ever*. N'était-ce pas un acte de charité que de leur dire que l'Homme-Tyran régnait partout ? Jeune, beau, il n'était que l'instrument du grand Cerveau, un gardien de l'ordre ou un ange qui venait annoncer avant les armes de la destruction le tableau lézardé de ce qui allait être demain : nous serions, en ce sens, me disais-je des précurseurs historiques indispensables, nous irions réveiller ces matérialistes entêtés, nés dans le privilège ou le dénuement.

N'était-il pas temps de leur dire : « Ayez peur, car il est déjà trop tard » ?

L'obsédante voix de mon père me répétait qu'il y avait eu Shakespare, un temps passé, un temps présent pour ceux qui avaient toujours su lire et écrire, écouter ou comprendre. J'aurais aimé n'être qu'un illettré comme Cheddy Bear ou Le Rat et seule l'année 81, dans son printemps, cet été que je vivais avec une transe figée, me semblaient digne de ma réflexion, bien que j'eusse à peine le temps de penser, ne songeant qu'à ces hommes, leurs petites villes de provinces ou de repos, qui seraient bientôt, comme les livres de mon père dans sa sage bibliothèque, les deux roses de son jardin, Sophie, Lisa, sa femme, tous, d'une façon ou de l'autre assiégés. Nos pieds que nous gardions souvent dans nos bottes sales quand nous venions rôder en moto sur nos plages trempaient dans cet océan nouveau, le nôtre, cet océan-charnier, dont les profondeurs étaient minées. Les oiseaux, les poissons l'étaient aussi, mais le héron blanc se posait avec innocence sur un rocher, l'oursin se multipliait, émergeait rarement de son limpide repaire. Quelle clarté dans ce festin terrestre qui cachait sous lui ses tombeaux et ne nous montrait que ses merveilles. Mon père qui avait cru en ces océans anciens n'allait-il pas soudain s'asseoir près de moi et me parler de ces temples qui avaient existé, il y avait de cela cent ans, à Hawaï ou ailleurs ? « En ce temps-là, il n'y avait aucun missionnaire, aucun explorateur, croyant me conquérir avec sa ferveur primitive, et les tahunas étaient les grands prêtres de leurs temples ; ces déistes païens ne nous avaient pas connus encore, nous

et notre gangrène bactériologique, partout, oui partout
où nous allions passer, marchands, commerçants, nous
allions éteindre la race des tahunas, tout en important de
Chine de l'huile pour leurs lampes. Nous allions les trahir
et les vendre, nous serions toujours sans principes et sans
scrupules dans l'échange de narcotiques cachés dans
des barils, sur des bateaux qui allaient de l'Orient jusqu'à
Lahaina, jusqu'à l'île de Maui où peu à peu nous allions
ensevelir la connaissance de ces hauts prêtres et de
leurs temples. » N'allais-je pas le voir, posant sa main sur
la mienne, me suppliant sans un mot de revenir à la
raison ? Car je devais avoir perdu la tête, m'eût-il dit, pour
danser, rire, m'amuser, sans même avoir de goût comme
les autres Bros pour l'alcool et les drogues, autour de la
tête de porc de Cheddy Bear, indifférent à l'assiduité des
actes de fornication dont j'étais sans cesse le témoin, que
ce fût Stone ou une autre. Je mâchais une herbe tout en
jouant avec les chaînes dont je devais connaître, me
disait Le Rat, « l'impériale nécessité » pour plus tard.
C'était comme ce porc dont nous avions ouvert les
entrailles dans un premier geste d'initiation ou le
revolver que j'avais tendu sur la tempe de ma mère. Je
vivais dans un halètement parfois douloureux la surprise
de ce printemps 81, la seule année mémorable de ma
vie. La surprise du conquérant étant de devenir chaque
jour plus fort tout en découvrant combien chacun
autour de lui s'amenuise et devient plus faible. Ce
n'était pas mon père qui était près de moi, mais Stone
qui m'entraînait vers le fond de l'eau du poids de son
sein nu, celui où il était écrit qu'elle était toujours la
propriété du Vieil Homme ; ce sein si pudique avec moi,
réticent, effleurait mon dos. Pressés de nous rafraîchir
nous étions encore vêtus, moi de mon jean lourd, elle, de sa
salopette de cuir dont pour la ramener vers moi je tirais les
bretelles. La veille, nous avions vomi ensemble derrière

94

un arbre, étranglés par un même dégoût ou une même fatigue. Jamais nous n'avions tant mangé et le souvenir de cette écoeurante passion s'exhalait encore de nous, de nos haleines, des vomissures encore collées à nos vêtements et bien que les hanches de Stone fussent souples autour de moi, on eût dit que mon père avait asséné à mon âme cet autre coup. Je voyais ses mains qui écrivaient. Dans mes détestables excès de table, de sexe, avais-je oublié l'histoire de Bobby Sands dont les obsèques avaient eu lieu depuis quelques semaines déjà ? Bobby Sands avait des parents : son corps avait été exposé chez eux à Twinbrook, un fils dont le peuple irlandais pouvait être fier. Le visage émacié de Bobby Sands avait un front de cire. Qui se souvenait encore de ce visage ? Après soixante-six jours de jeûne, il ne pesait plus que quatre-vingt-cinq livres. Autour de ce visage d'une extrême minceur, de ce corps squelettique qui avait jadis été le corps d'un athlète, autour des émeutes que soulevait ce visage, on avait dépêché à Ulster six cents hommes d'une unité de combattants, tous des hommes jeunes eux aussi, les Fers de Lance. Bobby Sands, cela mon père ne l'écrivait pas, était mort, les Fers de Lance triomphaient et triompheraient encore demain. Le mouvement républicain avait exigé trois jours de deuil pour Bobby Sands et l'histoire s'achevait là : elle serait répétée sans doute. « Nous continuerons de mourir de faim ou de soif, mais nous continuerons de mourir », avaient affirmé les compagnons de Sands dans leur prison de Maze. Mais qui parlaient d'eux aujourd'hui, en ce printemps qui semblait fait d'acier, pendant que le sang coulait ? Ce printemps serait vite oublié.

« Tu sais, m'avait dit Le Rat, nous ne sommes pas encore des capos comme d'autres gars du pays, mais nous avons notre arsenal important dont nous ne nous séparons jamais. Nous avons, nous aussi, comme les hors-la-loi, nos mitraillettes, nos fusils de chasse, nos revolvers, nos couteaux, nos menottes, nos fouets et même des vestes pare-balles. Dis-moi, qui étais-tu, avant les Brothers, le jeune, tu as un air distingué qui ne me plaît pas. On voit que tu n'as jamais lavé la vaisselle dans les restaurants, toi. Tu n'es pas un blanc traité comme un noir. Je sais que ta souris connaît la vie, elle, qu'elle était danseuse nue, qu'elle a fréquenté un type qui s'appelait Coco. Il est en prison comme son vieux. Sais-tu qui il était Coco, un voyeur-pyromane. Il en a allumé des incendies, celui-là, c'était toujours entre le 11 avril et le 12 novembre ! Quand le juge lui a demandé pourquoi, il a dit, ça me calme quand les nerfs me font mal. *Cool,* hein ? J'espère que les *old ladies* te sucent de temps en temps, elles sont faites que pour ça. Les chaînes, il faut s'en servir comme des fouets. Regarde-moi dans les yeux quand je te parle, tu t'attaqueras aux mollets des vieux d'abord, tout près du cimetière, ils ne sentent plus rien, attends mes instructions, pour le reste ! »

Une préparation pour la guérilla, pensai-je en écoutant Le Rat, c'était un rat maigre et si j'évitais de le regarder pendant qu'il me parlait, c'est que je n'aimais pas ses yeux, ses longs membres fureteurs, comme si je l'avais vu sortir du fond d'une cour, parmi d'autres rongeurs aux yeux glauques. À cette heure-ci, ma mère devait embrasser ses filles, couvrir leurs paupières du bout de ses doigts dans une affectueuse caresse qu'elle n'éprouvait que pour elles, dans certains gestes physiques, comme si elle eût voulu les protéger ainsi d'un mal originel, ce mal qu'elle leur avait donné en naissant avec la germination de la vie. Souvent, lorsque Lisa et Sophie revenaient de leurs jeux à la piscine ou à la patinoire, j'avais vu ma mère les tenir contre sa poitrine, sans bouger, et leurs bras se croiser dans cette touchante étreinte, au coin d'une rue, dans leurs manteaux d'hiver ou leurs shorts d'été. On parlait de munitions, ici, pendant que d'autres, ne serait-ce que par souci d'entité biologique, persistaient à s'aimer. Mais il fallait être prudent car le conflit, la haine des sexes, se poursuivaient aussi, le temps de ces épanchements. Que disait ma mère à Sophie et Lisa ? Que nos mythes, et même les mythes grecs étaient dénués de toute rectitude. Pour les Grecs, le retour à l'eau, à la mer, était un retour à la mort. « Moi qui vous ai mises au monde je sais que ce mythe est faux et lorsqu'on vous parle d'Icare qui volait trop près du soleil, c'était l'homme, lui seul et son rêve de puissance, qui allait ainsi à la conquête du feu. Icare vole encore trop près du soleil aujourd'hui et voilà pourquoi nous avons tant de souffrances dans le monde. Mais nous, nous étions des déesses sublimes, nous le sommes encore, comme ces déesses dont papa vous a parlé. Elles dominaient la Méditerranée, l'Asie Mineure autrefois. » « Que faisaient-elles ? » demandait Lisa. « Elles étaient épouses et mères. » « Moi je préfère Icare, avec ses ailes, il allait plus près du ciel : si elles étaient épouses et mères, ce n'étaient pas de vraies déesses, maman. »

Ambitieuse, Lisa n'eût pas écouté ma mère, peut-être. Elle aurait écarté les mythes grecs pour parler de cette jeune Bulgare de quatorze ans qui avait remporté tous les prix à un concours international de violon, venue de sa péninsule lointaine, si obscure pour Lisa. Elle savait seulement qu'on y cultivait des céréales, du tabac. De cette Bulgarie montait une musique glorieuse, une musique qui recouvrait les sons monocordes du violon de Lisa. « Si tu travaillais davantage aussi », disait ma mère. Un orchestre prestigieux avait accompagné la jeune Bulgare. « D'autres femmes avaient été des déesses sublimes », ajoutait Lisa. La jeune Bulgare était une déesse, et si Lisa consacrait peu de temps à ses exercices de violon, c'est qu'elle voulait devenir médecin, « oui un grand médecin, maman ». « Hier, tu me disais que tu voulais être peintre. » « Papa m'a raconté une histoire, je veux être un médecin moi aussi, je veux être comme cette gynécologue qui a sauvé tant de vies à Auschwitz, c'était un laboratoire pour tuer les bébés, mais elle en a sauvé quelques-uns. Ils sont vivants aujourd'hui. Ils vivent à Jérusalem. Les chirurgiens sadiques se moquaient bien des femmes enceintes quand elles accouchaient, sans médicaments, à froid, comme ça l'enfant qui venait de naître, tout humide encore, allait au crématoire et cette femme que Dieu avait envoyée sur la terre, même si elle était privée de sommeil et de nourriture comme les autres prisonniers, elle avait rendu à la vie, à la santé, quelques-uns de ces enfants condamnés. C'était le docteur Gisella et je voudrais lui ressembler » ; c'est là où ma mère se penchait vers sa fille et posait sa main sur ses yeux. Tout ce visage inquiet de Lisa, dont la nature était d'habitude si sereine. « Retourne à tes exercices, maintenant », disait-elle doucement, car ma mère connaissait la suite du récit dont mon père n'avait pas parlé à Lisa. Le docteur Gisella était une divinité dans cet enfer d'âmes perverses, mais ces petits corps frémissants et chauds dont elle avait caressé les cheveux et la peau soyeuse, ceux qui n'avaient pas été invités au banquet de la vie, qu'on attendait à peine nés, pour la vivisection pratiquée aujourd'hui sur nos animaux, ces enfants du sacrifice, elle les pleurait encore en se levant le matin. En se couchant le soir, elle les pleurait, sans larmes et sans voix, car elle avait dû les étouffer en secret, dans le noir, de ses propres mains et aller les enterrer elle-même dans une montagne de cadavres. Cela était la vérité que ma mère dérobait à Lisa, ajoutant qu'il n'y aurait plus de camps de concentration à l'avenir, « non jamais plus ». On célébrait partout le courage du docteur Gisella. Aux États-Unis où elle avait ses survivants comme à Jérusalem, elle recevait ces honneurs sans larmes, sans voix, songeant, « je ne serai jamais consolée de ceux que j'ai perdus. Ne me consolez pas, c'est bien en vain. Quand je me lève le matin, je me demande pourquoi je vis, quand je me couche le soir, je souhaite ne pas me réveiller le lendemain ». Et pourtant on la suppliait de s'incliner devant cet échec qui n'était pas le sien mais celui de l'histoire. On la réclamait dans les hôpitaux de Jérusalem où elle visitait les enfants malades, mais son âme avait fui avec ses morts de l'autre côté de la terre d'où ils ne reviendraient plus.

Sophie ignorante disait qu'on avait dessiné en classe un utérus, un petit, un plus large. « Il me semble que ton ventre est plus gros, maman. Je veux voir avec mes doigts. » « Touche, mais pas trop fort, là sont mon coeur et ma bouche, votre berceau quand tu étais si menue que personne ne pouvait te voir du dehors. Ne les écoute pas, Sophie, quand ils disent, comme dans les mythes, le monde souterrain, le gouffre, la grotte qui inspire la frayeur. La nuit, non, ne les écoute pas, pense à une source de lait, à toi, à moi, aux plantes, aux fruits, à tout ce que tu aimes savourer. » « J'en ai un moi aussi, maman, tu sais, il est tout à moi. »

Avec Le Rat je quittais ces inutiles délicatesses familiales. Il me contraignait à m'agenouiller à ses pieds, me relevant ensuite par un coup sur la mâchoire du bout de sa botte cloutée. « Écoute, me disait-il, c'est jour d'entraînement, aujourd'hui. Au soleil couchant vous allez descendre vers The Pit, là où vivent de minables retraités, venus de chez nous comme d'autres pays nordiques. Ils sont là, répandus le long de la côte, et ce n'est pas la Côte d'Or, crois-moi. The Pit, en hiver, à Miami ils se procurent du soleil jusqu'à trente dollars par jour. Tu ne feras que les chatouiller avec tes chaînes, garde tes forces pour la Côte d'Or. On a besoin de *cash* pour les transactions d'héroïne de Cheddy Bear. Ces braves vieux débonnaires auront bien quelques objets à t'offrir. »

Ce n'était peut-être qu'un simple exercice, comme disait Le Rat, mais en empoignant les chaînes, je frissonnais de la tête aux pieds. Nous gardions nos chaînes serrées entre nos gants de cuir, évitant ainsi des meurtrissures sur la peau nue et cette sensuelle protection augmentait la sensation d'un danger, devenu plus subtil, puisqu'il échappait même à notre contact. Nous avions laissé nos motos loin de la route et nous avancions, casqués, donc invisibles, vers les roulottes des campeurs, leurs friables cabanes perchées sur des pilotis au bord de l'océan. The Pit, c'était bien cela, une agglomération de petites gens, sans moyens matériels, sans défense. Certains venaient là pour pêcher, d'autres pour attendre la mort dans la quiétude. Assise devant sa cabane, le mari était absent ou c'était l'heure de la sieste. Une vieille dame vêtue d'un bermuda bariolé, les cheveux teints d'un jaune criard, sous son chapeau de paille, regardait le soleil darder ses derniers rayons sur l'eau rutilante. Elle était si paisible, si inodore aussi, entre l'océan et le ciel immenses, assise dans sa chaise de toile, qu'il me semblait soudain regrettable d'interrompre ce pieux recueillement de la vieillesse. Il y avait près d'elle dans le sable cette monstrueuse radio d'acier dont nous avions besoin pour les commerces du Rat, de Cheddy Bear. Je regardais l'expression de ce visage sous les bords du chapeau : étaient-ce les durs labeurs qui avaient plissé ces traits ou le ramassis des pensées mesquines, de toute une vie ? Sans doute songeait-elle que cet océan, ce ciel, les voiliers au loin, n'étaient là que pour elle, cadeaux d'une fin de vie qui s'inséraient déjà dans son éternité. L'organisme de l'univers était là et elle le possédait. Et que venions-nous atrophier dans la perfection de cet univers, Stone et moi, songeant à ces paroles de mon père : « Tu n'auras toujours, pour te guider, parmi les hommes, que la lumière de ta conscience » ? Ma conscience dépourvue de lumière était celle de mon triomphe, un triomphe bouleversé et bouleversant, dans la nuit épaisse de la Jungle. « Qu'est-ce que tu attends ? me demanda Stone, tel un chat aux aguets à mes côtés, viens vite. » La vieille dame soupirait peut-être en écoutant la ronronnante musique de sa radio, le bruit des vagues, la mollesse du vent. Soudain, mon front, mes mains, à l'intérieur de mes gants, comme mon sexe, brûlaient ; en un seul mouvement nous avions assailli la vieille dame, Stone s'enfuyant avec la radio pendant que je lui massais légèrement les mollets avec mes chaînes. C'était sans doute par répulsion que j'agissais avec clémence, craignant de molester à la saillie des muscles cette blanche chair ridée que je voyais pâlir. Nous n'avions pas même eu le temps de sentir le regard de notre victime sur nous sans doute un regard de terreur. La vieille dame s'était évanouie et nous étions bientôt à l'abri sur la route. À notre arrivée au campement, nous avions bu beaucoup de bière. Moi qui méprisais tant cette baveuse liqueur lorsque les autres en boivent, qu'elle coule à flots dans jets sur les seins des filles, je les observais. Déjà ce jeu de chaînes m'avait ennuyé. Serions-nous toujours les valets de Cheddy Bear, du Rat, où était cette terre de guerriers qu'on nous avait promise ?

Je n'aimais pas non plus ce que je constatais en moi-même, cette lâcheté de l'être capable de sentiments. Telle était la vaniteuse acquisition de la masculinité. J'avais Stone. Je pouvais aussi être jaloux. La suprématie d'une femme n'était-elle pas celle d'être la propriété de tous, la mienne ou celle de Cheddy Bear, du Old Man à qui Stone écrivait encore qu'elle était *your cutie, your young Suckie Baby, for ever* attendant la libération de ce dégénéré pour le printemps 83 ? Peut-être ne sortirait-il pas aussi aisément de sa cellule. Héroïnomane depuis six ans on avait encore saisi récemment parmi ses possessions illégales deux seringues sous son matelas. Bien sûr j'ai Stone, mais comme toutes les autres Suckies et Red Hot girls, elle léchait, pourléchait sans cesse parfois en files ces bêtes que je jugeais puantes et que j'eusse fusillées pendant qu'elles attendaient leur tour pour la jouissance. J'aurais pu me raisonner en pensant que Stone comme les autres filles n'était rien, non rien de plus que l'abâtardissement de son sexe qu'elle incarnait. Je la voyais qui se laissait photographier dans un renversement de tous ses membres ouverts, abandonnés, sur la Windjammer SS de Gros Nul, ses lèvres vermeilles brillaient au soleil, ses ongles étaient peints et depuis que ses cheveux se dressaient en touffes noires autour de ses oreilles, elle avait au-dessus de ses rondes épaules de jeune fille une tête androgyne qui semblait exciter davantage les hommes et qui, à mes yeux, lui prêtait soudain l'apparence d'un frère plus jeune qu'on eût exposé à ces luxures. Cheddy Bear ajoutait parfois un miroir autour de la séduisante nudité de Stone. Qu'elle monte nue une moto comme elle eût fait d'un homme, avec des bijoux à ses doigts d'amante, ou chaussée de bottes de daim, je me disais que le parfum de cette chair n'était flairé que par des vautours. Jaloux sans doute je l'étais dans une explosive colère que je ne trahissais pas. Je me souvenais d'un soir où pendant que de gras touristes, fraîchement atterris du Connecticut, de New York où, se plaignaient-ils dans leur vieil âge, il grêlait et neigeait, ravis de savourer un homard et de déguster leur vin sur une terrasse illuminée au bord de l'océan d'où venait une chaude brise, je me souvenais de deux adolescents noirs, un garçon et une fille filant à toute allure, autour de nous, sur un quai, tout près de la terrasse fleurie, dans l'une de ces prétentieuses voitures nacrées qui est souvent pour eux, quelque signe de prestige auprès des Blancs. Ils avaient ri en nous voyant Stone et moi, comme si nous avions été complices de leur cérémonial, ce qui était peut-être vrai, dans un tourbillon de rires et d'insultes aux attablés qui feignaient de ne pas les voir. Ils avaient fait l'amour plusieurs fois en poussant des cris sauvages, reprenant leur course ensuite sur le quai, leurs rondes et leurs encerclements. Qui étaient donc ces spectres avaient pensé ces copieux mangeurs, levant leurs fourchettes pendant qu'on les arrachait ainsi à leur premier soir de repos, à quelle débauche se livraient ces Noirs dans leur voiture blanche nacrée ? « Ah ! toujours les mêmes, écoutez-les, ces sauvages, c'est odieux. Ce ne sont que des enfants, oui, comme je le disais à mon mari. Les pneus de la voiture étaient encore pris dans la glace ce matin. Ce n'est plus pour nous cette température. Les prix montent chaque année. Pourrons-nous venir encore l'hiver prochain ? Il y a aussi des pensions pour les vieillards mais nous nous sentons encore jeunes. » Les spectres fous, délirants, allaient et venaient, copulaient et riaient contre l'océan le ciel nocturnes. On ne voyait pas leurs têtes plus sombres encore, mais étincelait comme au néon sur leurs chandails ce cri de gaieté, *Let's Fuck, Spring 81 Daytona Beach*. J'avais pensé à Baby Love, Oeil de Serpent, dans les rues de Brooklyn. Avançaient-ils en même temps que nous vers la Côte d'Or ? C'était ici, sur ce quai, près d'un restaurant en fête, mais qui ne le serait jamais pour eux, que couraient s'affolaient s'unissaient de jeunes couples maudits insatiables féroces, mais peut-être déjà vaincus, tombés avant l'heure de l'insurrection sous Les Fers de Lance de ceux qui mangeaient passivement de l'autre côté de la grille.

Les Bros n'utilisaient les journaux que comme papier hygiénique, quand, de mon côté, je continuais de les lire tous les jours, comme le faisait sans doute encore mon père afin de prendre possession de la parodie de l'histoire, car c'est avec ces faits quotidiens, d'une effarante banalité que nous allions vivre demain. Chaque peuple, me disais-je, avait eu son grand Cerveau, son Führer, les Noirs avaient eu le Révérend Jones et il y avait maintenant à Atlanta un génie du châtiment qui se promenait en toute liberté : vingt-six jeunes Noirs avaient disparu en moins de deux ans. On surveillait, attendait cet autre Révérend Tueur potentiel. Sans doute avait-il de bons principes lui aussi et était-il inspiré par sa religion. On l'attendait dans les centres de loisirs, les camps de vacances, avant l'été si chaud et ses toxiques, ses émeutes et ses violences, on l'attendait, instaurant le couvre-feu dès vingt et une heures à Atlanta mais il ne venait pas. Quelle était la solution oui au taux élevé de chômage, à l'inflation avait pensé ce prédateur ? On venait de supprimer dans les villes une forte quantité d'emplois destinés aux pauvres, *Lord and God, help me !,* avait supplié ce mystique dans son désert et la voix sacrée lui avait répondu : « Tu n'as qu'à les faire disparaître, c'est tout. » C'est ainsi qu'on avait retrouvé le cadavre de William Barret, dans la banlieue d'Atlanta et celui de James Lawson, cet enfant endormi de quinze ans, dans les bois. Les inspecteurs, ces professionnels de la charogne qui étaient des blancs allaient s'asseoir sur les rivages de la rivière

Chattahoochee observant parfois entre eux que les victimes étaient suspectes. Quelques-uns de ces petits n'étaient-ils pas des malades mentaux? Ah! ces meurtres, ces autopsies de routine! Nous avions nous aussi nos disparus spécifiques, Charlotte, de Montréal, Chantal, Peter, ils étaient blonds ou avaient les yeux bruns, Charlotte portait une canadienne beige, elle avait manifesté quelques signes de dépression. Engloutis, dans les bois ou au fond de l'eau, comme James Lawson et William Barret. La réalité est que personne ne voulait ni des uns ni des autres et que le Révérend Tueur, par quelque acte logique et irrévocable avait perçu qu'il valait mieux détruire au plus tôt ces jeunes noirs ces jeunes blancs, nés pour rien ni personne. Pour une vie vacante.

Les rabatteurs du Révérend Jones n'étaient pas loin, lui ou Judy qui allaient s'éteindre avec la charité des juges, des avocats et des tribunaux, sur la chaise électrique. On allait leur rappeler qu'ils n'étaient pas des surhommes noirs ou blancs, des individus dont la déplorable race ne pouvait pas se perpétuer sans fin. Ils n'étaient que des prolétaires tueurs, ne le savaient-ils pas? Judy lui-même n'avait-il pas péri sur cette chaise en mars 81, en la baptisant avec familiarité *Old Betsy* comme s'il eût parlé de la vigoureuse et combien triste étreinte de sa mère adoptive le serrant dans ses bras pour la dernière fois? « Demande grâce, demande grâce », avait supplié cette maman. « N'aie pas peur pour moi, je serai soulagé. » « Ils sont là à la porte, de nombreux prêtres catholiques, des évêques, ils ne veulent pas, répète, mon fils, que tu es innocent. » « Non, maman, je serai soulagé, si tu savais », et il éclatait en sanglots. « Réclame, mon fils, ta grâce, réclame. » « Écoute, maman, j'ai vingt-quatre ans, je suis coupable de viols et de meurtres. » « Ils sont tous là,

105

contre la peine de mort, l'Église est avec toi, des centaines d'opposants devant la prison. Pourquoi veux-tu être exécuté ? » «La Cour Suprême a rétabli la peine de mort, maman, c'est bien, je ne changerai pas d'idées, je ne veux pas de journalistes. Toi, papa, oui. Mais aucun journaliste. » « Tu auras droit à une douche, mon garçon, oui, tu dois être propre, tu l'as toujours été. » « Maman, de nos jours, ce n'est plus exécution mais électrocution. » « Un archevêque te défend à la télévision, dans les journaux, cela ne doit plus être, dit-il. » « Je l'écoute, maman, j'ai pitié de lui. Mais Old Betsy est là, c'est ma chaise à moi. Toi, papa, vous assisterez et je serai calme, confiant et mes avocats aussi qu'ils viennent. C'est une mise à mort et ensuite, maman, je pourrai renaître et tu verras, je ne serai plus le même, je serai délivré. Tu te souviens de Garry Gilmore, c'était le 17 janvier. En janvier rien ne transparaît, un 17 janvier en 77. C'était un charmant garçon, il avait assassiné pour une somme de trois cents dollars, il est libéré maintenant et je le serai aussi. » Cette mère écoutait son enfant, elle ne l'avait pas enfanté, mais c'était le sien. « Refuse, refuse, mon garçon. » « J'aimerais bien, avait-il dit, boire quelques bières, trois ou quatre, on ne me le permet pas, on m'offre de la langoustine, mais je n'aime pas le poisson. Je serai seul, pense à moi. Je recevrai deux charges successives, une qui dure peu longtemps. Rien de pénible. » « Mais, mon fils, que contiennent donc ces secondes d'une indescriptible douleur ? » « Deux, trois cents volts pour moi seul, mais je suis grand et fort, maman, regarde-moi et je suis calme surtout. Ensuite, ce sera moins dur. » « Toi qui as de si beaux cheveux, un coiffeur viendra te les raser avant l'aube ou après ton dîner solitaire et le poil de tes jambes aussi. Pourquoi mon fils, tant de cruautés ? » «Tu ne peux pas comprendre, maman, c'est trop scientifique pour toi. Il y a ce contact direct avec les électrodes. On les a enduites de saumure. Ainsi l'oeuvre entière, ma mise à mort, est parfaite. » Et il disait à sa mère, « n'épargne pas ma vie, on ne fait que me rendre justice, surtout ne pleure pas ». Ils s'étreignaient, s'embrassaient, dans les sanglots ou la peine sèche. Soudain, on les séparait. Ils ne se reverraient plus.

Prophète, Judy avait senti en fermant les yeux en ce matin de mars qu'une autre forme de déliquescence finale achèverait demain ce carnage des électrodes pour les incarcérés à vie : la révolution, ce serait de pouvoir s'injecter à soi-même sa propre mort ou de la recevoir volontairement d'un médecin nazi. D'autres aimeraient cette injection dans le silence matinal et les médecins dont les noms et prénoms seraient toujours secrets, comme ceux des grands bourreaux, évitaient ainsi la turbulence de la douleur. Chirurgiens au travail, ils ne ressentaient plus rien eux-mêmes, qu'en renouvelant la dose toutefois. La mort d'un homme était plutôt une agréable perspective. Il s'agissait de ne pas y penser.

James Lawson, William Barret, Judy, ces évadés, ces furtifs n'allaient jamais connaître ce primaire engouement de vivre qui nous précipitait sur les plages, Stone et moi. On ne pourrait jamais s'exclamer en les voyant, « qu'ils sont beaux ces enfants » — ce que l'on ne disait plus de nous désormais car dans le soleil notre agglomération était noire comme la nuit. Même la vieille dame s'était peut-être extasiée peu de temps avant notre arrivée en regardant les joueurs d'équipe de football, ces héros sans cruauté, vivifiants, au grand air, acharnés pourtant au combat, comme nous l'étions, Stone et moi. Qu'ils étaient beaux, ces enfants, dans leurs maillots orange ou bleus, courant, riant, contre l'effervescence de l'eau ; je les avais aperçus de loin, avec leurs teints, leur sang mêlé oubliant dans leurs rixes, même sous les injures, dans ce superbe embrouillement de jambes, de bras, de cheveux, asiatiques, blancs ou noirs, leur haine instinctive pour cet autre culte guerrier, celui du sport.

Mais ici les bandes rivales pouvaient s'étreindre comme le faisaient ces filles à la peau claire, aux cheveux châtains, et ces vigoureux mâles noirs, qui, hier encore, eussent tant aimé les violer. Soudain, ils étaient là, les uns et les autres s'aimant avec innocence sous les palmiers, ne s'aimant pas comme Stone et moi, jeunes chiens qu'une même chasse eût excités, pacifiés par leur guerre radieuse, remettant aux uns les honneurs, aux autres quelques blessés, des bandages, autour d'un membre vaincu. J'avais connu ces débordements dans ma vie ancienne auprès de mes parents, de mes sœurs. Qu'il était facile de céder à cette guerre juste et bourgeoise, de raturer notre monde occidental avec ses préjugés, ses tares, dans cet embrassement des cœurs enjôlés peut-être, mais toujours ennemis. Je revoyais ma mère berçant Sophie pour l'endormir, par un après-midi aussi chaud. Sous une hutte de paille, je nageais au loin, gourmand du ciel, de la mer. « Dors, petite Sophie, maman est là, mais il faut fermer les yeux. » Il venait vers elle, oui, ce boxeur noir, à l'aube, comme je marchais seul sur la grève, il avait voulu m'offrir du hash ; maintenant il étendait aux pieds de ma mère, de Sophie, ses viles marchandises, ses colliers, ses coquillages. « Vous avez une belle petite fille, madame » et ils se regardaient avec un sourire mutuellement stupide, tant ils se craignaient sans se l'avouer. Ce dieu subalterne n'avait-il pas caressé onctueusement le pied de ma mère, ce joli pied si ferme ; elle berçait toujours Sophie qui refusait de dormir. « Oui, vous avez un joli pied, madame. » Par quelle ardeur jalouse étais-je là soudain, coupant les vagues. La panthère noire l'avait effleurée de sa griffe, si peu mais dans sa virginale attitude ma mère ne disait-elle pas, « je t'en prie, mon fils, ne te mets pas en colère, ce serait du racisme. Pierre, sois gentil ». Son regard me suppliait de me taire. Sophie avait toujours un peu de fièvre dans les pays tropicaux. Mon père écrivait dans sa chambre d'hôtel. J'avais bondi sur le garçon, sournoisement, car je tremblais de peur devant cet être qui me dominait, trop rusé pour s'attaquer à moi et à mes faibles viscères. Il dit en riant « Viens, je vais t'apprendre à boxer » et soudain je dansais avec lui sur la plage. « Viens, viens petit. » Non, il n'y avait pas eu de proposition indécente, Sophie allait bientôt s'endormir, accablée par la chaleur ; en me voyant sautiller, ma mère avait pensé sous les coups attendris de la panthère sifflant de rage entre ses dents éclatantes « qu'il est beau ce petit ! » Nous ne sommes pas racistes. Écrasé comme un pou sous la magnitude de mon géant, j'avais perçu, moi, combien la haine luisait sur ces dents blanches, sous les durs rayons du soleil.

Aujourd'hui il me semble inconcevable de penser que pendant que nous nous baignions, que je me pliais parmi ces sauvages à la sveltesse de leurs jeux aquatiques, en bateau, ou sur leurs skis motorisés, que ma mère lisait au soleil, peignait après le bain les longs cheveux de mes soeurs, tenait entre ses doigts leurs boucles poisseuses de sel, oui il ne me semble pas concevable de penser à mon père, écrivant pour un grand journal dans sa chambre un article révélant les méfaits de ce produit surnommé Agent Orange, orange comme la lumière du soleil couchant dans laquelle nous nous prélassions, hâlés, huilés, méconnaissant la nature ou l'existence même de ces foetus difformes, eux qui par centaines avaient survécu, dans des jarres, longtemps après la guerre du Vietnam — monstruosités humaines que l'on avait conservées dans des bocaux de verre, dans un laboratoire de Hanoï. Une jeune fille voyait tous les jours ces membres hideux, ces faces ridées, ces bouches d'enfants sans souffle dont les lèvres murmuraient, de leurs prisons de verre, « foetus, nous. Écoutez-nous, nous respirons encore ; la douleur nous tord ici pour toujours » et résignée elle les entendait, dans le silence de ce laboratoire, songeant à d'autres qui sevrés à la même guerre jouaient aujourd'hui au football, dansaient le rock, circulaient dans la ville dans des blue-jeans achetés après des mois de peines, de misères. Certains défrichaient des terres. On mangeait du porc, du poulet comme hier. La prostitution était désormais interdite, les semailles de l'Agent Orange dormaient dans leurs bocaux et mon père se croyait utile en écrivant en dénonçant, comme nous. Les survivants de Hanoï étaient de jeunes insolents : ils aimaient le sport, notre musique, dédaignaient leurs attaches patriotiques pour la danse et le plaisir, garçons et filles. Ils étaient leurs propres libérateurs, ces grosses têtes poilues, aplaties dans leurs cages, ces pattes de singe, avaient proliféré loin de leur beauté, de leur jeunesse, froidement intactes, après le déluge de feu.

Cet océan, je ne pouvais plus le regarder sans penser à ce que mon père avait écrit. C'était un océan de sperme rejeté, tuméfié, coulant en toute déperdition, avec ses foetus et ses cadavres, ceux des animaux comme ceux des hommes et des enfants aux inertes paupières, dans les bocaux d'un laboratoire de Hanoï. Ses hautes vagues déployaient encore sur les rivages de Floride comme sur le Mékong 50 000 tonnes de défoliant.

La victorieuse équipe de football n'était qu'une miroitante illusion sous le ciel. Qu'il eût pris forme ou pas encore, notre sperme était chimiquement détruit. Nos fils, et nos filles étaient déjà saignés à blanc avant de naître, et l'Agent Orange, comme le soleil, se couchait sur cet océan éternel, inlassablement dépéri. La vieille dame, dans sa chaise de toile, n'avait vu là-bas au loin que des voiliers, quelques nuages annonçant une pluie soudaine. Elle avait pensé « combien d'années vivrai-je encore ? c'est si charmant sur cette terre ». Les hautes vagues vénéneuses ne consumaient pas ses pieds frêles dans ses sandales. Pourquoi son mari la laissait-elle si souvent seule ? Elle avait sa radio, bien sûr, le firmament, les oiseaux. Ces jeunes gens dans leurs uniformes sportifs, qu'ils étaient bruyants, mais joyeux, de toutes les races, de toutes les couleurs ! C'était curieux ce qui se passait à l'étranger, au loin très au loin. Sa prunelle inquiète enveloppait tout le paysage. De très jeunes cavaliers descendaient vers la grève avec leurs chevaux, ils étaient de taille naine, ondulant comme en rêve, sur leurs bêtes lentes, obtuses : cette vision lui semblait menaçante, mais elle ne savait pourquoi. Peut-être était-elle trop âgée désormais pour vivre au soleil.

Cheddy Bear, le Rat, Grave Digger surveillaient notre noir cortège, dans ces villes où l'on parlait déjà de nous comme de vandales. Souvent ces grossières vilénies que l'on pouvait lire dans les journaux du matin avaient été accomplies par de plus jeunes que nous, les Little Dennis, les Cripple qui ne s'attaquaient qu'aux infirmes — tous encore à l'âge de la puberté, rapaces des ghettos de Miami, les frères de Baby Love, d'Oeil de Serpent, nos excroissances blessées ou écorchées vives, nous suivant partout, sur leurs infantiles motos. On savait qu'ils étaient cruels comme le sont les enfants, capricieux, délicats, qu'ils avaient appris à l'école leurs leçons et décisions de guerre. En apparence plusieurs n'étaient-ils pas sans danger, ne retournaient-ils pas chez leurs parents le soir pour dormir ? Mais sous la baguette du grand Cerveau prestidigitateur, ils obéissaient eux aussi, avec plus de candeur et d'agilité. Il fallait les voir sur leurs minibolides, dans leurs t-shirts rouges, leurs joues fondant comme une tendre cire au soleil, sous leurs casques, rouges, ces casques, comme leurs motos. Ils ne faisaient que jouer le long des plages, comme nous soumis aux ordres de Cheddy Bear, du Rat, de Grave Digger fractionnant chaque jour le Territoire.

Grave Digger riait en les regardant, une écume de bière roulant dans les boursouflures de son ventre où régnait un Bouddha tatoué. « Ils viennent eux aussi à la Côte d'Or, regardez-les ces gamins, the Little Dennis, the Cripple, à peine sortis du berceau. » Et ils pouvaient scinder le monde en deux, disait Grave Digger, dont la peau disparaîtrait peut-être un jour, mais pas le tatouage. « *Born to ride again* ». Comme Baby Love, Oeil de Serpent, à Brooklyn, ils étaient morphinomanes, ou le deviendraient demain et leur intoxication était souvent morose, chagrinée, comme celle de Stone dont je percevais mal les pensées. « *What a party for the kids* », disait Grave Digger lorsqu'il leur montrait cette pratique du tatouage qui n'allait pas s'évanouir avec le temps ou la bombe. Un squelette coiffé d'un casque de soldat était signe de résurrection, d'immortalité. Bouddha était l'édifiant maître du néant, « *what a party for the kids* ». Ces Little Dennis étaient déjà tatoués de bleuâtres coups reçus entre eux ou donnés par de plus grands ·dans des batailles, des accidents au-dessus des collines de la mort. Comme Stevie-Baby, prodige des sauts et des culbutes sous les yeux pleins de convoitise de sa mère, ils avaient déjà beaucoup saigné sous leur blindage, respirant l'encens de Bolivie, écoutant le Grand Prêtre Cheddy Bear. Ils étaient aussi ces enfants de choeur célébrant les insanités d'une messe apocalyptique. On avait sérieusement recommandé dans une petite ville du Vermont que ces vandales dont on ignorait l'angélisme, si habiles qu'il était vain de vouloir les capturer, fussent mis au pilori : la mise au pilori était une ancienne coutume. On attachait les coupables à un poteau, mains et pieds liés et on les exposait. On attendait toujours une réponse de la cour du district, car ce retour à la torture indignait certains. En attendant les Little Dennis, les Cripple se vengeaient seuls de cette société attardée qui rêvait de leur exécution en public. On cherchait encore les causes de la mort du petit Yannick. Yannick était un bel enfant aux yeux bleus, atteint de paralysie cérébrale ; son père lui avait donné une montre en or à Noël. Père et fils ne se quittaient pas. De la somptueuse maison où il vivait, on promenait Yannick sur le quai le soir, d'où il pouvait voir le soleil se coucher sur la mer. Accablé de tics et de torsions, dans sa chaise roulante, Yannick s'émerveillait, battant l'air dans un geste d'applaudissement de ses longs doigts aliénés. Un jour, quelqu'un l'avait précipité du haut du quai. Plutôt que de poursuivre le coupable parmi les Little Dennis, ces gamins ou leurs frères les Cripple, on avait vu assis entre deux policiers, dans le box des accusés, un débile mental, vêtu d'une chemise à col ouvert et d'un tricot rayé sous sa veste de tweed, qui avait dit « oui, c'est moi, mon psychiatre peut attester de ma débilité mentale ». C'était un jeune homme privé en naissant d'émotions et de sentiments véritables. On l'avait vu sourire pendant son procès. « Il confond l'imaginaire et le réel », avait expliqué son avocat. L'accusé était Hulk, Superman, Goldorak. Il voulait bien offrir son cerveau aux tests neuro-psychologiques, métaboliques. Voyageur interplanétaire, il était sans mémoire mais il se souvenait de Yannick. Et de l'avoir peut-être éliminé — sans le vouloir. À une conférence de

113

médecins, on avait dit avec éminence que ce pauvre garçon était un analphabète. Goldorak avait un quotient intellectuel de soixante-sept et son âge mental était de cinq à sept ans. Les graves insuffisances intellectuelles de Goldorak-Superman s'expliquaient par un excès d'acides aminés dans son sang. Les images chromosomiques comme les tests de neuropsychologie avaient également permis la découverte d'une lésion diffuse au niveau de l'hémisphère droit du cerveau. Cette lésion était la cause de tous les délits de l'accusé. Il devait sembler normal à Goldorak, dans son état pathologique, de tuer le petit Yannick puisqu'il était ainsi fait, sans éthique et sans jugement. Le jeune homme allait être interné. Les Little Dennis, les Cripple seraient libres. Eux si vivants, si trépidants, n'aimaient pas ce qui gênait leur vue. À quoi bon vivre si on devait le faire sans mobilité, dans une chaise roulante ? Yannick encombrait les consciences, les regards, qu'il fût là avec son père sur le quai ou choyé à la maison par sa mère. Yannick était partout de trop. Les Cripple se rebellaient devant ces cruautés de la nature. Les gestes s'effaçaient et Yannick ne lèverait plus vers le ciel son suppliant visage aux lèvres crispées ; à l'heure du soleil couchant, ne le voyant plus, on l'oublierait, lui et sa parcimonieuse existence. Partout la capture était la même. Comme pour la vieille dame, on pouvait intimider une vie en l'encerclant, en la harassant.

Les rudiments de cette théorie de l'encerclement telle que Cheddy Bear nous l'avait inculquée ne me distrayaient pas de Stone, de ma jalousie, lorsque je pensais à son corps brun que tous chevauchaient et prenaient — Stone qui m'échappait dans ce jeu de la capture, lequel était aussi celui des autres. La courte chaîne d'argent brillait au lobe de son oreille, son sourire moqueur me narguait, j'étais hanté par chacun des cheveux de sa tête, ces cheveux courts et agressifs, hanté par son visage qui, comme le mien, se creusait dans cet empoisonnement de la sexualité et de la violence.

Pendant que nous étions sur les routes, un jeune terroriste avait commis un attentat contre le pape. Je me souviens que cet attentat m'avait séduit. Une femme, comme ma mère, avait vu en Jean-Paul II un dictateur spirituel refusant aux femmes leurs droits fondamentaux, un esprit répressif. Moi, j'entendais la voix du grand Cerveau dans cette démocratie chrétienne que l'on pouvait encore effriter. On avait dit de l'assassin Mehmet Ali Agca qu'il était, lui aussi, comme le meurtrier du petit Yannick, un schizophrène paranoïaque. Il était pour moi un héros de ce terrorisme personnel que l'Église avait de tous temps encouragé, car ce terroriste voulait promouvoir la souveraineté musulmane si souvent oubliée par les chrétiens. Jaloux, paranoïaque, il l'était sans doute, me disais-je, et j'imaginais son expédition solitaire, de la Turquie jusqu'à Rome, par un beau jour de mai, dans le délire et la peur, songeant à ce complot : « Comment tuer un pape, comment devenir un héros musulman ? » Lorsqu'on lui avait demandé s'il était communiste ou fasciste, s'il avait été recruté par quelque organisation internationale, Agca avait répondu : « J'ai toujours été seul et j'agis seul. » Et c'est ainsi que je l'imaginais, seul, jaloux, entêté. La tristesse, la consternation, la pitié, Ali Agca n'aurait pas comme sa victime le bonheur de les connaître ; il n'entendrait autour de lui dans la foule que des cris de stupeur, des sanglots. Il soulèverait l'indignation populaire dans sa crainte de l'effondrement de l'Église. Il deviendrait le prince d'un royaume violent, il posséderait le monde ; la télévision soviétique montrerait des images de l'attentat. Il serait prince à son tour, riche, puissant. Lorsqu'on prierait pour la convalescence du pape, on prierait pour lui. Paranoïaque. il songerait avec douleur à son père sadique, à son enfance pauvre. D'autres parleraient de lui comme d'un terroriste professionnel. Ce que ce faible tueur avait su c'est qu'il pouvait être redoutable, avoir la force de la bombe atomique dans la société occidentale, traverser les coeurs et les esprits avant d'atteindre sa cible, comète de terreur. Ainsi rêvait-il au fond de sa Turquie natale. Soudain le pape n'était plus convalescent mais guéri. Ali Agca, serait vite oublié. Son geste, seul, passerait à l'histoire. En Italie, toutes les femmes se souviendraient pendant quelques jours que leurs corps, ainsi que leurs enfants à naître et à mourir appartenaient à un seul homme, célibataire, à une démocratie chrétienne généreuse, souriante, qui régnait sur leurs vies d'un lointain palais à Rome. On avait pourtant pleuré de joie, applaudi en accueillant à Saint-Pierre la voix de Jean-Paul II qui retentissait à midi, grâce à un enregistrement réalisé le jour même. Pendant que nous étions sur les routes, il fallait encore croire à l'innocence. Aux terrasses des cafés, à Rome, la vie continuait. Un jeune ambassadeur avait reçu un message de Khomeiny pour le souverain pontife : ce message n'avait pas été révélé.

Les princes de ce monde, qu'ils siègent à Rome ou à la Maison Blanche, ne commentaient jamais les exploits de nos bandes, les Little Dennis, les Cripple. Ils étaient sans commentaires devant la mort de Bobby Sands, comme ils l'avaient été à Noël lorsque les Little Dennis avaient incendié plusieurs magasins dans une même ville au Sud de Miami. « Aucun commentaire », avait dit le prince Charles aux reporters qui lui demandaient ce qu'il pensait de la mort de Sands. Des jésuites contestataires avaient accouru des États-Unis, de même qu'un ancien procureur général américain, dans une solidarité profonde avaient soutenu les grévistes de la faim. « Nous n'étions pas des martyrs oeuvrant à la réunification de l'Irlande, mais nous vivions, nous aussi, parmi les rangs de nos armées, constamment à la pointe du fusil. » « Aucun commentaire. » Les Little Dennis, les Cripple allaient, avant l'aube, torches aux poings. Les dommages étaient si élevés, un million de dollars, souvent. Les vies étaient épargnées. Le prince Charles se mariait, montait à cheval pendant que les maisons et les édifices flambaient. Les princes ne parlaient jamais de Baby Love, d'Oeil de Serpent. Dans les rues de Brooklyn, à treize ans, ils portaient des chemises à manches longues afin de cacher leurs bras noircis par l'aiguille. Exilés dans leur palais, sur la Côte d'Or, parmi leurs chiens de garde et leurs serviteurs, ils nous attendaient pourtant sans le savoir, ces hommes, ces femmes, élus par Dieu pour l'éternelle félicité. Nous étions partout, nous nous rapprochions de notre but, nous venions de toutes les villes d'Europe, d'Allemagne, des États-Unis, comme du Canada. Nous n'étions pas seuls, Stone et moi.

Une femme buvait son martini à la terrasse d'un bar, sous les palmiers — grande et belle. Qui sait, une ancienne actrice de cinéma ? Elle avait un gras mari aux joues, au nez empourprés par l'alcool. Il était sur son bateau pendant qu'elle se préparait à déjeuner ici. Paresseuse, elle disait à la jeune femme qui la servait « voici le menu, choisissez pour moi ». Elle avait deux fils à College Station, de futurs soldats eux aussi. Elle payait son déjeuner puis se maquillait scrupuleusement. Sans être une femme aux préjugés ancestraux de son pays, elle n'aimait pas les noirs. Elle le disait parfois dans la conversation avec les gens de sa classe. Il y en avait deux derrière elle, elle se maquillait et les apercevait dans son miroir : un couple noir. L'homme disait à sa femme, *I hate you, child of a bitch.* Elle pensait à ses deux fils à College Station, des jeunes gens supérieurs à ces brutes, pensait-elle. « Mes chers enfants. » Elle leur écrirait aujourd'hui. Nous nous tenions tout près d'elle, l'observant avec indécence de notre grillage de fleur : nous allions ravir son sac, ses chèques de voyage, son passeport. Sa personnalité nous plaisait. Nous allions nous en emparer. Elle écrirait à ses fils d'une main agitée par des tremblements — pas cette main frivole qui tenait le miroir avec tant de sûreté — « j'ai été attaquée par deux inconnus, des punks. Je ne sortirai plus seule. J'ai peur ». Sous notre griffe, cette égoïste créature se souviendrait peut-être dans quel monde belliqueux nous vivions, en regardant la télévision le soir auprès de son mari ou lorsqu'elle serait sur le point de tremper ses lèvres peinturlurées dans son martini. Qui sait ? cette arrogante serait enfin secouée, elle, son masque et sa vie. L'utilité de notre terrorisme l'atteindrait peut-être. Toute son inquiétude vitale avait été contenue un instant dans cette image reflétée par le miroir. Il était écrit qu'elle n'avait jamais pensé aux autres, qu'elle se souciait peu de ses fils à College Station, de son mari, sur son bateau. Fleur cérémonieuse elle accaparait l'espace de ses pétales empoisonnés ; elle était là, elle savait qu'elle ne trouverait pas de solution à la crise des missiles entre Israël et la Syrie. Si le Secrétaire à la Défense n'en trouvait aucune, comment l'eût-elle fait ? Elle n'était ni méchante ni raciste, mais elle reposait dignement entre les mains du grand Cerveau. On disait aussi que deux cent mille soldats vietnamiens occupaient le Cambodge. Elle n'allait pas penser aux Vietnamiens, aux Chinois. Le bilan de leurs guerres ne l'intéressait pas. Son mari avait une propriété au bord de l'océan, il aimait la pêche. Il y avait des prisonniers politiques et des détenus partout, mais le

118

grand Cerveau, celui de la Défense américaine saurait bien la défendre, elle, ses propriétés, ses fils. De Camp David, le grand Cerveau déployait ses armes et ses missiles : cette bonne épouse n'avait rien à craindre et ces tortures que l'on pratiquait dans les prisons iraniennes elle ne les approuvait pas car elle avait été élevée dans la religion anglicane. Il y avait sans doute des commissions d'enquête instituées contre la torture. Sa propre vie soudain lorsqu'elle avait vu son reflet dans le miroir et nous qui avancions le long des arbres avec nos poings américains — nous qui étions aussi dans le miroir — sa vie soudain lui avait semblé un long coma. Nous l'avions réveillée, et surprise, elle avait pensé qu'elle était plus légère sans son sac, ses chèques de voyage. Une sorte de misère dont elle n'avait pas senti l'épouvante avait pris fin. Au crépuscule, pendant qu'elle faisait l'amour avec son mari — ils faisaient toujours l'amour au crépuscule, avant de sortir, le soir, la nuit, il était toujours trop tard, cela les épuisait — elle avait pleuré. Elle avait pensé au couple noir qui se disputait, aux *food stamps*. Mon Dieu que le monde était laid. Je pensais à ses larmes comme aux larmes de ma mère pleurant ma disparition, ma perte, le désastre de ce que devait sembler pour elle ma vie. Quand elle prenait Sophie et Lisa dans ses bras, quand elle les embrassait, frôlait leurs paupières de ses doigts de musicienne, ses larmes se répandaient sur son visage. Elle avait vu son fils armé, poser un revolver contre sa tempe. Je me trompais. Rien ne troublait ces pacifiques. Ils attendaient mon retour : nous irions tous ensemble, unis comme autrefois, vers quelque horizon inconnu, dans la jungle péruvienne, dans nos enclaves, nos forêts luxuriantes, à l'abri de la colonne de feu, et je les suivrais dans cette Amazonie secrète et préservée. Lorsque ma mère se levait le matin, elle disait à mon père : « Soyons patients, il reviendra avant l'été. » Elle s'inquiétait avec moi du sort de Baby Love, d'Oeil de Serpent, allant par les rues de Brooklyn. Elle aurait bientôt un autre enfant. Eux dormaient sur des chiffons bourrés aux embrasures des fenêtres évitant les planchers couverts de rats. Ils avaient des jardins comme les Blancs, des jardins fantômes dans la cour, de poussiéreux citronniers qui avaient cessé de croître, sous les déchets et des écailles de poisson. Lorsqu'ils mangeaient c'était autour d'une table fantôme : ils ouvraient des boîtes qu'ils jetaient dans la cour. Les *food stamps*, c'était cela, de magiques repas qui n'étaient jamais cuits comme ceux des Blancs. Ils les mangeaient debout, en dansant, en riant, choisissant leurs vêtements dans quelque imprévisible abondance en proie à la pourriture. Dans ce décor rongé par la famine intellectuelle et morale, plus que par la faim viscérale, pensait ma mère, mon fils ou ma fille ne vont pas grandir. Avec moi, il ou elle aimera ce qui est juste, ce qui est beau, et elle voyait une île immaculée dans sa verdure. Le grouillement de la vie dans son ventre l'aidait à m'oublier. Mon père ne nous avait-il pas dit qu'il ne fallait garder aucun souvenir de notre civilisation ? Cet homme stoïque ne désespérait pas, sa pensée s'élevait vers d'arides pla-teaux pendant que la terre sombrait. Ces pénitents d'aujourd'hui nous sauveraient, croyait-il, moi et mes clans de motards, les Little Dennis, pour qui la vie avait moins de prix que la montre en or du petit Yannick que Cou Brûlé et ses amis avaient précipité du haut du quai. À un tribunal, dans le Connecticut, on eût peut-être affirmé en cette même année 81 que Cou Brûlé et ses amis souffraient, comme ce garçonnet de onze ans qui avait poignardé son ami, de « possession démoniaque », car des prêtres catholiques tentaient encore d'exorciser les démons. Dans cette oisiveté contemporaine où ils se trouvaient désemparés avec le Dieu qu'ils servaient, ces pieux chômeurs allaient quérir au fond de l'enfer l'éventuelle existence du Démon. Le Démon émettait des sons rauques, des sifflements ; c'est lui qui avait poignardé le meilleur ami de A. Johnson, onze ans, qui devait comparaître au tribunal de Brookfield. Quand les Little Dennis, les Cripple, Cheddy Bear, le Rat étaient tout près, ils ne sifflaient pas, n'émettaient aucun son rauque, mais la rumeur de leur approche était si sonore que dans l'enfer du monde on ne les entendait pas venir. Qui sait ? Cou Brûlé ressemblait peut-être à cette adolescente de quatorze ans qui écrivait chaque jour dans son journal *I am lonely* et qui avait tué sa grand-mère avec un couteau de boucher, écrivant le lendemain, dans son journal *I am still lonely but I had lots of fun,* vingt-huit fois elle avait frappé, en songeant, « je suis trop jeune pour la peine de mort, *but it is a lot of fun* ». Comme Baby Love et Oeil de Serpent, elle avait grandi dans les rues de Brooklyn, mais ses parents qui avaient mis leur foi en cette enfant talentueuse avaient cru redresser ses penchants à la cruauté en l'amenant vivre ailleurs, loin, très loin des rues de Brooklyn, en Californie où elle avait commis son crime, sous leur fidèle protection. « Je suis ambitieuse avait-elle écrit, dans son journal, je voudrais devenir écrivain. Je sais aussi que je suis très méchante. » Une vieille dame de quatre-vingt-cinq ans subissait cet aveugle courroux dans le condominium où elle s'était retirée et où elle avait fait venir sa famille. Possédée par la voix du grand Cerveau de la guerre, Shirley, quatorze ans, avait assassiné, en y prenant plaisir, l'être qu'elle aimait le plus au monde.

Et ces risibles prêtres cherchaient Satan au fond de l'enfer.

Pendant ce temps, comme mon père avait cru à la validité du bien en lisant Swedenborg, Hegel, Leibnitz, ignorant les uns comme les autres que seul le feu avait toujours dominé le monde. Sophie et Lisa continuaient leurs leçons de violon, mon père leur promettait encore que tout changerait bientôt. À quatre mille mètres d'altitude on oubliait Hiroshima. Au Pérou, elles oublieraient dans une autre culture, parmi d'autres croyances. Cette idée de la perfection sur la terre existait quelque part, dans la musique qu'elles aimaient. « Sophie, Lisa, je vous aime », répétait-il, en pressant leurs têtes rondes contre son coeur. Il était las d'écrire que la violence triomphait partout, dans les prisons du Michigan, du Nevada, comme dans l'âme de ce fils qui était parti, « Pierre, Pierre », prononçait-il à voix basse. Bien que mon hostilité l'eût choqué, il aurait tant aimé comprendre, expliquer ; mais mon silence, mon éloignement le peinaient plus encore : hier, j'étais l'otage d'une famille qui m'aimait. Soudain ma violence était visible, elle explosait avec les mutineries dans les prisons.

J'avais menacé ma mère.

J'étais un délinquant mais surtout un terroriste désormais sans famille et sans patrie.

Qui était Stone ? C'était là peut-être la faille de l'omniprésente sexualité : car comme tout autre mal elle réveillait la conscience. Stone était la propriété du Vieil Homme, de Cheddy Bear, du Rat, mais pourquoi était-elle là, dans mon existence ? J'oscillais entre Lynda Martin qui avait un jour délaissé ses vieux jouets, les Pink Floyd, la consommation de vin rouge, dans la clandestinité, après le cours de chimie, la portée d'animaux du même âge qu'elle aurait caressés dans les parcs, et cette autre qui avait vendu du haschisch pour le Vieil Homme. Stone déjà rompue aux pratiques sadomasochistes de Cheddy Bear, du Rat, de Grave Digger, que l'on pouvait gifler, assommer de coups, retenir par la crête de ses cheveux, fouetter de sept lanières de cuir et violer sur une moto. Cheddy Bear disait que nous, les parias de notre société, n'avions qu'une passion qui rendait les autres jaloux : ce qu'il appelait le *wanderlust* et j'associais ce mot à la vagabonde indécence de mes yeux rivée au corps de Stone, au fouet qui s'enroulait tel un serpent à ses hanches, aux coups de poing qu'elle recevait dans l'abdomen, aux ecchymoses fraîches de son sexe lorsque le Rat y faisait pénétrer un bâton. Ce vagin était le mien, secoué, frappé. Nue ou vêtue

123

de cuir, Stone me donnait ses hurlements si souvent contenus, le sang d'une bouche blessée qui ne coulait pour personne, mais qui coulait aussi abondamment pour moi, comme ce fleuve de notre sperme exploité et maudit. Soudain, elle me tendait ses seins peints en bleu, sa poitrine tatouée, jouant le jeu des filles avalant un blé d'inde, en sautant. Je me sentais aussi son possesseur, le survivant, possesseur d'une femme survivant à un *party* où chacun avait le devoir de conquérir par la violence. J'aurais aimé écrire à mon père dont la culture était vaste que nous étions les nouveaux dieux de l'Amérique. Nous, avec notre véhémence à envahir les plages de Floride, sous les pluies tropicales, comme sous le soleil cuisant, nous luttions contre toutes les adversités. Si nous n'étions pas des dieux nous-mêmes, dans notre cruelle bravoure nous étions pour ces dieux que mon père vénérait en Asie, dans les steppes de Russie, un bien troublant spectacle. Il aimait Sénèque : pourquoi n'eût-il pas saisi le réalisme de ma pensée si conforme au monde moderne et à la voix du grand Cerveau ? Nous étions la cause et la raison de vivre du docteur Einstein dont mon père avait admiré l'oeuvre. Nous étions ses fruits, ses enfants, la continuité de sa funèbre philosophie en ce monde. J'écrirais aussi à mon père l'histoire de cette antipathie que Cou Brûlé et les siens, les Cripple, les Little Dennis avaient toujours éprouvée pour les infirmes, les paralytiques ; je lui dirais combien il nous semblait sain de corriger les défauts de cette Mère Nature si brutale et inconséquente. Cou Brûlé : rescapé d'un incendie où ses deux jeunes frères avaient péri en août, le temps d'une nuit glorieuse, sous une confortable tente équipée d'appareils électriques. Un court circuit dans la montagne avait déraciné ces frêles arbrisseaux. Tout brûlé, le visage recouvert d'un masque transparent, longuement hospitalisé, Cou Brûlé avait survécu, refusant de guérir. Il était désormais le chef des Little Dennis, des Cripple, avec ce cou cicatrisé, à peine sorti du brasier malgré tant de faux apaisements thérapeutiques. Deux longs mois, ses jeunes frères, Stéphane et Olivier avaient lutté pour cette même survie qui lui semblait désormais méchamment agréable. Cou brûlé n'aimait pas les marmots pleureurs, la cagoule, les vêtements élastiques qui avaient longtemps abrité son visage. Cet accoutrement n'était-il pas celui du petit Yannick qu'il avait libéré des infirmières, des physiothérapeutes penchés sur son cas ? N'avait-il pas été héroïque à sa façon ? On avait dit de Cou Brûlé à sa sortie de l'hôpital qu'il était un clown, un monstre, on l'avait expulsé à l'ombre afin de ne pas le voir et il était soudain le chef d'un gang. Il n'aimait pas, il est vrai, ces pieds inertes du paralytique qui grattait le sable de la plage, ou cette zone du quai où il ne se passait rien de vivant pour un être immobilisé entre le ciel et la terre, mais il avait pitié de ces brûlures qui n'avaient jamais été pansées, pitié aussi de ses frères morts et de la garderie d'où sa mère avait dû le retirer à cause de sa laideur. Par quelque miracle on lui avait greffé une autre peau, une autre vie, mais il était désormais Cou Brûlé et il ne changerait plus : on disait toujours le clown, le monstre. Sans révolte, il avait compris qu'on ne pouvait plus accueillir le petit Yannick, en ce monde. Il était trop traumatisant de vivre, d'être. Au soleil on voyait tout, la peau greffée, déchirée : Cou Brûlé avait embrassé le petit Yannick en lui disant « je te console, mais il faut te cacher, ne plus être ». Et soudain, les vagues de l'océan étaient plus paisibles.

Cou Brûlé entendait des voix la nuit, il dormait peu, sans foyer, sans mère, conscient aussi que ses parents avaient fondé une association pour les grands brûlés. Il sentait cette force qui habitait chacun de ses muscles.

Attachant, aimable, il dominait de plus jeunes que lui, car son âme enfin, après tout ce temps, était cicatrisée, sous ce masque de motard qui était celui de la transparence puisqu'il n'était qu'un enfant.

Quelle chaude nuit, quand ils dormaient tous sous la tente ! L'ambulance les amenait à l'hôpital, grièvement brûlés comme ces torches vives dont les braises reposaient dans des bocaux, à Hanoï.

Cou Brûlé était devenu un outlaw : on le craignait. Ceux qui l'avaient appelé le clown, le monstre, se taisaient enfin. Ange de cet enfer torride d'où remontaient ses yeux, son front, son cou ravagés, avec l'hostile vigueur de ses muscles, il disait avec raison « je suis le fils des Hell's Angels, des Satan's Choice ». Les adultes le respectaient. Dans leurs entrepôts où il avait trouvé refuge, les Gitans lui avaient offert des chiens de garde et sans connaître ce motard encore si jeune, la population des villes le redoutait. Cou Brûlé regardait son royaume : voici que ses clubs satellites étaient en pleine croissance, les Little Dennis, les Cripple occupaient les côtes de Floride, comme hier, le Saguenay et la Côte Nord. Dans toutes ces régions, on se plaignait pourtant de ces vandales, une armée d'enquêteurs les recherchait, mais Cou Brûlé et les siens seraient toujours impénétrables. Chacun craignait les représailles d'un témoignage ; on se taisait. L'organisation policière s'avouait dépassée par ces bandes de primitifs, ces indésirables qui érigeaient des murs d'acier afin de se protéger des balles. Ils avaient leurs sentinelles, leurs chiens veilleurs, leurs mitraillettes : comment Cou Brûlé eût-il pu être vulnérable ? Seules les bandes rivales l'intimidaient. Une vingtaine de clans étaient aussi criminels que celui de Cou Brûlé. Les Cripple, les Little Dennis, les Outlaws possédaient des villes ; Cou Brûlé y avait ses secteurs d'où il commandait ses envois de drogues vers New

York. On l'avait repoussé dans les garderies, les terrains de jeux où jouaient les autres enfants. Il était maître de ses carrefours urbains. Aucune autorité, qu'elle fût gouvernementale ou policière ne pouvait l'atteindre. Mais mon père, bien qu'il fût cultivé, n'aurait pas cru l'histoire de Cou Brûlé, il eût pensé, dans sa noblesse, que nous étions tous, les uns comme les autres, victimes de notre temps. Dans cette course à l'holocauste, il aurait témoigné en notre faveur dans ses écrits. Le printemps, l'été 81 étaient pour lui une scandaleuse source d'informations : près de soixante personnes avaient été exposées à des radiations. C'était dans une centrale nucléaire du Japon, écrivait mon père, mais cette fuite d'eau contaminée s'acheminait vers toutes les rivières, tous les fleuves, avec un jour, les cadavres de Sophie, de Lisa, dans ces fonds marins. Qui pouvait se soucier aujourd'hui de quelques enfants irradiés sur leurs terres nipponnes ? Comme tous les autres parents les miens remerciaient Dieu d'être nés blancs, loin des côtes du Japon. À Atlanta on avait découvert le jeune garçon près de la rivière Chattahooche. Pauvre mère, pauvre père de la malheureuse victime ! Comment continuer de vivre quand votre fils a été assassiné ? Sophie, Lisa, vivaient pendant ce temps, respiraient. Traver, qui était souvent invité à jouer à la maison, le seul noir de notre rue, écrasait sa tête dans les cheveux de Sophie. Soudain lorsque ma mère levait les yeux de ses livres ou de ses feuillets de musique, elle voyait en Traver, cette vingt-quatrième victime du führer noir d'Atlanta, Joseph Bell, beau et élancé comme une fille, avec ses cheveux touffus, gisant dans une barre sablonneuse, à peine plus âgé que Lisa, quinze ans. Lorsqu'on avait fait l'autopsie, on avait révélé que l'enfant n'était vêtu que d'un slip : il eût fallu faire en même temps l'autopsie du monde où nous vivions. Seul ce slip entre les mains d'un médecin légiste était l'indice, pathétique objet blanc, dans la boue, que le jeune Joseph Bell avait déjà vécu, traînant du quartier pauvre où il avait fait quelques petits métiers jusqu'au bord de la rivière Chattahooche où le führer noir l'avait pris dans ses bras, puis asphyxié.

Avec l'été chaud et fébrile, nos minables attentats s'accumulaient. Une octogénaire que nous avions renversée d'un trottoir, un dimanche soir, m'avait dégoûté de cette fétidité corporelle que nous avions l'habitude, désormais, de rouer de coups. Ces pensionnaires du bord de l'eau qui se visitaient d'une résidence à l'autre, ou de leurs cabanes au fond du Pit, et puis qui rentraient sagement chez eux, ne se livraient pas tous, eux et leurs maigres biens — un sac à main, quelques dollars — à nos bandits par groupes de cinq, de sept surgissant des bois comme en pleine rue. Dans ces mêmes villes que nous avions assaillies, on n'entendait plus la rumeur des vieillards jouant aux cartes sous la lampe, ou dehors, sur la grève. Les plages étaient silencieuses et on ne se visitait plus sur les boulevards éclairés. Ils scellaient soudain ces pactes de suicides qui nous surprenaient : deux soeurs du même âge fatalement menacé, s'éteignaient ensemble dans une chambre de motel. On découvrait une femme, un homme de quatre-vingts ans enlacés sur le sofa de leur humble foyer. Ces morts étaient incandescents comme la vieille dame que nous avions taquinée de nos chaînes, entre le ciel et l'eau. Ils n'avaient pas d'odeur, leur putréfaction avancée les laissait intacts ; doucement ils se désagrégeaient dans cette pâle lumière, cette lumière de midi qui nous étourdissait Stone et moi. On ne décelait aucune trace de sang. Dans leur muette violence, ces morts si peu ténébreux ne voulaient-ils pas nous priver de notre courage de vivre rudement pour nous-mêmes, toujours invincibles ? Lorsque venait la nuit, au campement, nous nous révoltions en suspendant une Suzuki au sommet d'un arbre. Battue, brutalisée, transpercée de coups, nous foncions sur la moto comme sur une barricade : on eût dit que dans ces décombres, nous n'aurions plus à l'aube qu'à cueillir nos os fracturés. Pendant ce temps, ceux qui avaient fait leur pacte de suicide dormaient, dormaient. Ces dorlotés de l'éternel repos n'auraient pas à songer à nous demain, ni au génocide syrien, chrétien. Ceux que l'on bombardait massivement à Zahlé, Nabatlyeh, ces morts ou blessés tombaient au loin, dans un enlisement global qu'ils n'avaient plus à gouverner sous leurs paupières froides. Car eux aussi, ces vieillards sans avenir, bavardaient le soir, autour d'une table de bridge ou en regardant de leur pavillon le soleil se coucher sur la mer. Ils osaient parler à voix basse, d'un ton craintif, de ce qui se passait en Israël, au Liban. « Le monde allait bien mal ! Ah ! oui, comment cela finirait-il ? » Ils avaient reçu le matin ce journal écrit dans leur langue. Au-delà du tapage auquel s'efforçaient leurs provinces ou leurs villes — car il fallait partout manifester que l'on existait, crier, potiner — ils entendaient venir jusqu'à eux, même dans la piscine où ils pataugeaient, entassés, après un lourd repas, la voix du grand Cerveau, celle de ses ambassadeurs qui ferait un jour trembler la terre, mais dont on entendait les échos mondains. Rien ne devait être aussi dangereux qu'on le disait, puisque des colonels assistaient à un toast porté à leurs hôtes au Kremlin, tout en rappelant l'urgence de riposter à tant de barbaries, au Liban. Pendant que ces négociateurs de tant de vies parlaient d'installer leurs alliances il n'y aurait sans doute rien à craindre, pendant quelques jours, de ce théâtre sanglant du Proche-Orient, pensaient ces crédules esprits. Comment prolongeraient-ils leurs existences eux qui se sentaient si usés parmi tous ces mots neufs qui rongeaient la beauté du ciel et de l'océan, le

Chasseur F 18, les A-6, les Harrier AV-8B, l'Armée de l'Air des États-Unis et ses chasseurs F 18 ? Le ciel en était soudain tout noir. Gangréné. Ils babillaient entre eux, échangeant des propos futiles sur ces travailleurs qui défilaient partout, en Espagne, en Norvège, en Pologne, eux dont les mains seraient désormais inhabitées et oisives. Ils songeaient à ces réjouissances des travailleurs, qu'ils fussent éprouvés par la récession ou par le chômage. N'étaient-ils pas là, suant, protestant à leur place ? Le premier mai, on les voyait partout. Voici qu'ils n'étaient que des retraités près de la mer, se lavant, se baignant dans la même eau putride. Combien ils enviaient ces ouvriers encore jeunes que l'on entourait de gardes, ces manifestants qui brisaient des vitrines à Zurich, en Suisse, combien ils nous enviaient, aussi, tout en nous méprisant, nous qui avions rompu tous les rituels et qui vivions en un lieu pourtant bien défini, en ce siècle, entre ces deux pôles : le militarisme, le fascisme ! Eux qui étaient vieux ressentaient ce spasme de l'espoir en parlant de leurs enfants, de leurs petits-enfants. La révolution sexuelle avait perverti l'enfance, marmonnaient-ils. On ne protégeait plus les mineurs, on les exploitait avec la pornographie. Tous attentaient à leur innocence. On les violait, on les sodomisait ; ces mots étaient pleins de représailles comme le ciel, de fusées. Les vieux joignaient leurs mains, sur leurs genoux, se taisant. Demain, il ferait encore beau, beau et chaud, orageux dans l'après-midi.

Oeil de Serpent, Gregg s'échauffaient dans les rues de Harlem : à treize ans, on se distrayait en tirant une balle de calibre 45 dans la tête d'une cycliste qui attendait le feu vert à l'intersection de deux rues. La femme s'effondrait. Oeil de Serpent s'enfuyait avec la bicyclette.

C'est ainsi que passèrent l'hiver, le printemps.

Qu'étaient le viol, la sodomie, pour Oeil de Serpent, Baby Love, échangeant, parmi d'autres, leurs balles, leurs éclairs de feu ?

Mon père parlait à ses filles de notre île future en Amazonie, des Indiens dînant de bananes, de poissons, de yucca, notre paradis, notre forêt hospitalière, suffocante d'insectes de fleurs et de reptiles, nous irions là-bas remonter le cours des rivières, parmi les coupeurs de bois et les Indiens Matsès, ou bien, nous irions à Santa Rosa Park voir se multiplier les tortues vertes, nous irions nous réfugier dans les montagnes du Costa Rica où volaient des oiseaux dont les queues se déroulaient comme des chevelures, tant de diversités d'oiseaux dans ces végétations, aucun explorateur ne parvenait à les nommer tous, on y trouvait aussi le tapir, ce mammifère tâtonnant, courbé sous les ombres de la jungle humide, tout cela qui n'était qu'un rêve, dans la tête d'un homme qui aimait ses enfants.

Du pavillon de l'Unesco on entendait une autre voix naïve, semblable à celle de mon père : c'était l'appel d'un prêtre missionnaire décrivant les afflictions de notre globe, au moyen d'un concombre qu'il avait découpé de son couteau, en disant « ces rondelles que j'arrache sont vos océans, vos montagnes, peuple insensé. J'ai vécu près de treize ans en Afrique avec ce que vous dépensez en un seul mois. Consommateurs étourdis, ne comprenez-vous pas que la terre se meurt ? » On avait regardé avec stupeur un grand prince de l'Église jouer à ce jeu imagé, coloré, tout en observant la chute des rondelles, nos montagnes, nos déserts, nos océans. « Je lutte depuis toujours contre la lèpre, la faim, en Afrique ; je vous rappelle que vous assistez tous volontairement au dépérissement de la race noire et jaune. Sans pain un homme ne peut vivre avec dignité. » On avait écouté cette verve démunie, mendier un peu de compassion pour les hommes. Il parlait encore des réfugiés cambodgiens derrière les barbelés, de la Somalie et de ses trois millions de réfugiés. Le prêtre exhibait son couteau, son concombre — un tableau touchant — mais on se disait que ce brave homme avait été atteint de délire dans ses pays africains. Soudain la voix du grand Cerveau chassait cet orateur et son ridicule concombre. Une mince rondelle, celle de la survie, roulait encore entre les doigts du missionnaire. Mélancolique, il entendait à son tour cette voix qui nous rappelait à tous quotidiennement que même si le prix annuel d'une guerre, sur la planète, était de quatre cents milliards de dollars, la violence armée était la seule activité rentable de notre terre.

Bobby Sands était mort. Une femme à l'âme d'acier déjeunait avec le prince héritier Fahd : on ne l'avait vue sortir aucun concombre de sa mallette. Elle n'était pas si modeste mais elle avait été généreuse en mots d'acier, de fer, tout en s'entretenant avec un groupe de dirigeants saoudiens. Ces terroristes n'avaient qu'à mourir, avec leurs cocktails molotov, et leurs grèves de la faim. Dans la soirée on l'avait admirée dans sa longue robe noire, comme tout bourreau qui ne veut pas être reconnu elle avait couvert son visage d'une voilette de tulle noir. Le Roi Khaled l'avait reçue en audience et elle avait frémi sous sa voilette, songeant qu'elle n'avait jamais senti si près de son visage cette haleine chaude de la guerre et ces paroles du grand Cerveau qui la félicitaient partout où elle passait. Parmi tant d'honneurs, le souvenir des Skinheads dans les rues de Liverpool s'était évanoui — ainsi que la mort de Bobby Sands. Il y avait eu des dizaines d'immeubles en ruines pendant les émeutes du week-end à Liverpool. Ces Skinheads étaient des pauvres, ils se perdaient dans ces vagues gênantes et successives de juifs, de noirs africains et antillais, logés à Liverpool dans des baraques, sans salle de bains. La Dame d'Acier pensait : Honteuse ville de marasme avec ses briques rouges, la cheminée de ses usines. Ne valait-il pas mieux oublier la crise du chômage parmi tous ces noirs, tous ces blancs ? Le cri déshérité de la petite communauté de Toxteth, à Liverpool, venait jusqu'au coeur de l'invitée du roi Khaled. Ne serait-ce pas joli de rénover les maisons edwardiennes situées aux lisières du quartier ? Rénover, en rénovant par le passé, l'histoire. L'image de la ville de Toxteth ne serait pas indéfiniment ternie, et enfin, Toxteth ne serait plus profanée, pillée, le temps d'un week-end, par une armée d'adolescents. Skinheads, il était l'heure de les abattre tous à ras de terre. Leurs noms le disaient bien, Skinheads. On remplacerait leurs baraques par des maisons edwardiennes aux lisières d'un beau quartier, à ras de terre. On ne les entendrait plus.

Le long des plages de notre campement enfumé, un soir, nous avons vu briller la Côte d'Or sous les nuages roses. Nous allions donc bientôt envahir ces dégénérés hargneux qui voyageaient avec indolence, d'un palais à l'autre, de leurs châteaux de Monaco, de Suède, du Liechtenstein à la Côte d'Or où ils dressaient, comme chez eux, leurs sanctuaires d'oiseaux et leurs pavillons de chasse. Rêves de monarchie qu'ils grillageaient avec leurs enfants, leurs collections de tableaux, parfois un Léonard de Vinci d'une valeur de sept millions, disait le Rat. De plus en plus nombreux, grassement relâchés sur le sable fin des grèves, avec nos motos, nos femmes aux museaux de renard, lorsque les phares des voitures éclairaient leurs seins nus. La nuit, nous écoutions les lamentations de Cheddy Bear qui pissait dans le feu, comme il avait l'habitude de le faire après un repas, geignant sur le sort de l'un de nos chefs de file, Grave Digger, dont la tête avait roulé dans un ravin à Dump City.

J'avais peu de souvenirs de Grave Digger, sinon l'image de sa main de cuir qui avait un jour défloré le sombre pubis de Stone, dans la forêt. J'avais perdu moi aussi, ce jour-là, dans l'ébranlement des arbres et des

135

feuilles, sous la voûte chaude du ciel, la virginité de ma
première existence auprès de mes parents, de mes soeurs.
Descendu au fond de la Jungle, j'avais su qu'on ne pouvait
plus en remonter. Grave Digger avait été décapité par une
poignée de résistants de Dump City. Nul n'avait entendu la
chute de son casque dans l'herbe, ni le glas de son crâne
qu'une corde d'acier retenait captif à l'intérieur du casque.
Foudroyé. Pendant tout ce temps ces restes de lui-même
agonisaient seuls. Grave Digger était mort, mais la main de
cuir m'arrachait encore du sexe de Stone comme des bras
de Sophie, de Lisa, dont je n'allais plus connaître la
douceur.
Cheddy Bear se plaignait
Smoke Steve Bubba Grave Digger,
all dead
two niggers killed him
Grave Digger Grave Digger
one on the left one on the right
all dead now
Smoke Steve Bubba Grave Digger
    Qui entendait la plainte de Cheddy Bear dans ces
jardins aux portes verrouillées ? C'était l'heure du cocktail
à la Côte d'Or. Étendant un pied, une jambe brunie par le
soleil, sous un élégant pantalon de toile — on sortait de la
piscine, du bain, fardé, déguisé — ces reclus savouraient
avec l'alcool l'indulgence d'une pluie de fleurs sur leurs
têtes. Parfumés de mimosas, de magnolias, ils n'entendaient
pas, dans le tintement de leurs verres, l'invisible rumeur de
nos chaînes qui avait terrifié la population de Dump City,
petite ville près de l'Atlantique que nous avions assiégée
comme un ouragan. Nous en revenions avec un cadavre :
Grave Digger. Ils échappaient à l'horreur de notre guerre
en commentant les festivités du Liechtenstein où l'on avait
jadis invité vingt mille personnes à célébrer le mariage
du prince Hans Adam avec la comtesse Marie Kinsky de

Munich. On parlait de ce garçon adorable, le prince Felipe Pablo Alphonso de Todos. La famille du roi Juan Carlos 1er n'était-elle pas reconnue pour sa simplicité ? À l'école on appelait le prince, Felipe ; c'était un enfant studieux, ignorant dans ses richesses le poids de ces dictateurs qui l'avait élevé au rang de maître de l'Espagne à l'âge de quatorze ans. En Hollande, le prince Willem-Alexander, excellent cavalier, disait-on, dont les joues étaient rondes et roses et qui portait des gants blancs pour monter à cheval — lorsqu'on le voyait en photographie ne voulait-on pas le croquer ? — se réveillait-il parfois la nuit en songeant au passé de son père, le prince Klaus que l'on avait brièvement aperçu, il y avait de cela si longtemps, dans l'armée nazie ? On disait que le mariage du prince Klaus avec la reine Béatrix, ainsi que la naissance de ses trois fils, avaient raturé ce passé de l'ancien soldat. Willem-Alexander avait quinze ans, un air séraphique, il aimait par-dessus tout ses chevaux et son royaume, le royaume d'Orange, mais le prince Klaus, son père, traversait parfois ses rêves, la nuit. Il lui semblait alors entendre le piétinement des bottes de fer tout près de son oreille ; des mots le parcouraient sous ses draps de soie et il ne pouvait appeler la reine, sa mère, car n'était-il pas trop grand, ne venait-il pas de remporter un premier prix, en Hollande, lors d'une compétition équestre ? Willem-Alexander frissonnait de fièvre en entendant ces mots que l'on citait encore dans les livres, on les avait crus longtemps effacés dans l'ombre mais soudain on entendait ces mots qui étaient pour Willem-Alexander, le signe de sa damnation secrète. Belsen. Que s'était-il passé à Belsen ? Il y avait eu un camp de malades. On disait au lycée et dans les livres historiques où il était encore question des mesures finales qu'avait prises l'armée que ce camp de papa s'appelait *Krankenlager*. Les patients venaient s'y soigner par milliers pour mourir. Il y avait eu aussi le premier Centre médical où l'on ne faisait que vous examiner, *einsatzgruppen*. C'était en janvier 1942, pensait Willem-Alexander, mais personne n'était revenu vivant du Einsatzgruppen. Des nations de patients n'étaient jamais sorties du Einsatzgruppen, du Krankenlager qui n'étaient que de blanches salles d'attente. Les historiens écrivaient aujourd'hui : « il faut savoir pourquoi » et Willem-Alexander voyait son père qui lui aussi portait des gants blancs lorsqu'ils allaient ensemble à l'écurie. « Klaus, mon bon papa, ce n'est pas vrai ? » C'était toujours écrit, on apprenait même au lycée qu'en 1914 les Allemands avaient déjà tué, torturé des milliers de juifs. Papa disait doucement en caressant la tête du jeune prince : « Krankelager, ce n'était qu'un hôpital pour les malades. Ils ont été soignés, puis guéris. Définitivement. » Ou papa Klaus ne disait rien. Willem-Alexander était le premier prince couronné depuis un siècle : c'était un bel enfant, comme les deux autres fils du prince Klaus. La Croix-Rouge et le Vatican s'étaient inclinés devant les décisions de l'Armée. Willem-Alexander, né si longtemps après les années funestes, 42, 43, ces années qui mutilaient la mémoire du prince Klaus lorsqu'il regardait ses fils debout aux côtés de leur mère, pendant quelque cérémonie officielle en Hollande ou ailleurs, rachèterait ce sang répandu par toute l'Europe. L'innocence de Willem-Alexander, de ses frères, en couvrira un jour toutes les souillures, pensait le prince. Pourquoi Willem-Alexander entendait-il encore la nuit ces sons d'acier ? « Papa, dis-moi, pourquoi ne sont-ils jamais revenus du Krankenlager où ils attendaient une cure ? Pourquoi ne sont-ils jamais revenus du Einsatzgruppen où ils espéraient rencontrer les meilleurs médecins ? Pourquoi sont-ils morts en Allemagne dans des installations les *Kadaververwer-*

tungsanstalten, où l'on n'exterminait que les animaux ? »
Sur la Côte d'Or, les princes et ceux qui aspiraient à le devenir parlaient entre eux, le soir, à l'heure du cocktail, de leur dernière Mercedes, de la crise du pétrole dont ils s'enrichissaient et encore du prince Klaus et de sa femme, de leurs trois grands fils si charmants qui, comme eux, aimaient tant la chasse, l'équitation, tous les plaisirs des nobles. L'armée lointaine du prince Klaus, comme l'armée de Cheddy Bear, des Hell's Angels, des Satan's Choice, s'était tue.

Krankenlager, Einsatzgruppen, ces mots réveillaient pourtant le prince Willem-Alexander, la nuit.

Les rentiers de la Côte d'Or poursuivaient leurs guerres, de loin. Ils nageaient souplement dans leur piscine au fond bleu pendant que leurs escadrons lugubres, leurs hélicoptères et leurs techniciens de mort abattaient les rebelles du Salvador. Lorsqu'ils allaient au Casino le soir — on avait déjà tué vingt-quatre personnes en une seule journée — de leur exil plein de cupidités où ils vivaient si heureux, où allaient les trois cent mille réfugiés salvadoriens, sous leur constante répression, au Mexique, au Honduras ? Ne les verrait-on pas apparaître un jour, les mains s'agrippant aux clôtures des jardins de la Côte d'Or ? Afflux de réfugiés projetés dans les vagues de la mer, du haut d'un hélicoptère, ils auraient le crâne rasé, les mains liées. Celui qui se préparait à s'élancer sur sa planche à voile verrait-il la grappe de ces corps maudits tombant du ciel ? Mais ces rentiers, ces riches industriels craignaient surtout l'enlèvement et les journaux leur rappelaient le chiffre des victimes. À Venise, les Brigades rouges n'avaient-elles pas déjà enlevé un directeur d'usine que l'on avait trouvé ensuite dans le coffre d'une automobile, près des marais de la ville ? Voilà ce qu'ils craignaient le plus, l'enlèvement, le jugement. Ils embrassaient leurs femmes, promenaient leurs chiens, en demandant que Dieu les protège, eux et leurs usines. Un coup de téléphone, s'ils n'étaient pas prudents et assez bien gardés, pourrait ainsi annoncer leur fin : « Vous trouverez ce cochon dans une 128 bleue Via Beccaria, près de Montedison. » On les frapperait à la tête. Leur poitrine serait criblée de balles, comme ce directeur d'usine, à Venise. Ils portaient la même barbe, le même pantalon beige et après l'exécution des Brigades rouges d'Amérique, leur chemise bleue identique serait tachée de sang. Il fallait attendre, dans la nuit parfumée, regarder nos otages de loin.

« Attendre l'aube », disait Cheddy Bear.

À l'aube, on nous envoyait en éclaireurs sur les plages du Grand Hôtel. C'était le plus somptueux hôtel de la Côte d'Or, avec ses bâtiments roses d'un classicisme discret, ses jardins, ses bosquets, ses tentes bleues dressées près de la mer, comme si en ce silence matinal, guidés par une lumière et une eau corrosives, nous eussions eu la voie libre pour naviguer vers un autre monde, Stone et moi. Dans les chambres aux fenêtres ouvertes, chacun offrait son corps nu, amolli par la chaleur dans l'humidité des draps, à ces floraisons rouges et blanches qui se hâtaient de mourir toutes en même temps sous les arbres, avant même que nous ne pensions à les cueillir. La courte chaîne d'argent brillait à l'oreille droite de Stone ; ses joues, ses lèvres peintes en noir, pour les funérailles de Grave Digger qui avaient eu lieu la veille — il avait eu droit à un défilé honorable dans la périphérie de Dump City, là où la police nous craignait tant qu'elle avait confié à ses citoyens la besogne de se débarrasser de nous — assombrissaient l'air de leurs attraits sinistres. Lourds et sensuels, dans nos vêtements de cuir, nous regardions l'ancien monde, encore gracieux lorsque personne ne l'habitait. Seul un couple d'homosexuels traînait sur la plage, deux hommes d'origine étrangère, dont le plus jeune semblait un travesti brésilien. Celui-ci regardait son aîné avec une intense avidité. Nous le regardions aussi, Stone et moi, car il portait une profusion de bijoux. Sans chaînes, sans couteaux, nous avions reçu l'ordre de Cheddy Bear de ne nous attaquer à personne, au Grand Hôtel ; et ce n'est qu'à la nuit tombée que nous irions nous emparer des bijoux et de l'argent, dans les chambres désertées par les touristes.

Au temps de mes aubes sauvages, avec mes parents et mes sœurs, comme mon père, j'avais été un ornithologue pourchassant les oiseaux de mes jumelles. Cet art de grimper dans les arbres qu'il m'avait appris, combien il eût été étonné de me voir l'appliquer en gravissant jusqu'aux balcons les lierres fleuris du Grand Hôtel ! Je regardais un oiseau solitaire aux longues pattes, au long bec, qui luttait sereinement contre les vagues. Sans nous voir, il laissait derrière lui un dessin hiératique sur le sable qui aurait touché l'âme de mon père. Les vagues lavaient à mesure l'empreinte de ses pattes et il recommençait sans fin sa promenade hallucinante, son même tracé sur le sable : mon père aurait été frappé par la détermination d'une si farouche petite chose qui marquait pour elle-même son espace de vie, à l'ère de la bombe à neutrons.

Le travesti brésilien souriait à son protecteur, ses dents étincelant dans les premières lueurs chaudes de l'aube : comme moi, c'était un délinquant et un voleur et l'un de ces terroristes patients dont on ne voyait pas les armes tant elles étaient sournoises. Peut-être dirigeait-il une traite de Brésiliens et un marché de silicones à Paris qui lui permettait de voyager partout au monde. On disait que ces jeunes prostitués arrivaient par cars entiers dans la capitale française, parfois protégés par la mansuétude de la police. Dans les allées du Bois de Boulogne ou de Vincennes, ne se préparaient-ils pas, comme nous dans la Jungle, à la guerre du sexe, à la course au pouvoir, à l'argent, contre la stabilité bourgeoise des parents, des enfants, exhibant leurs seins gonflés aux silicones dans une agression fine et efféminée qui désarmait la décence de leurs adversaires. Nous avions nous aussi nos prostitués de huit à seize ans qu'aucun travailleur social ne pouvait saisir ni enfermer, Oeil de Serpent, Baby Love qui obtenaient parfois jusqu'à six cents dollars par semaine, afin de s'approvisionner en héroïne, en cocaïne. Qu'en eût pensé mon père ? N'eût-il pas enfin avoué avec moi que **la seule grande guerre du printemps 81** était depuis longtemps commencée ?

Je pensais aussi combien mon père aimait cette heure de l'aube pour écrire, qu'il fût dans une chambre d'hôtel ou avec nous sous la tente ? Qu'allait-il écrire aujourd'hui, en se levant, de son hâvre de paix, pendant que sa femme, ses filles, dormaient encore ? Parmi d'autres journalistes, écrivains et hommes de science, il était l'un des organisateurs d'un centre antitorture dont on avait vu la naissance à Copenhague. Peut-être compilait-il ses notes, sa riche documentation ; au Salvador, on brûlait les muqueuses nasales avec de la soude, on inhalait ce poison. En Amérique latine, on pratiquait le *submarino*. Qu'était-ce que le *submarino* ? Eût-on reconnu en ce mot marin les têtes des suppliciés enfouies jusqu'à l'étouffement dans des bacs remplis d'urine ? Non, car on ne parlait de la torture, en Turquie, en Grèce, en Afrique du Sud, qu'en termes théologiques. La torture serait l'église de l'an 2000, avec ses techniques nouvelles, ses subtilités, de pays en pays. On passerait de la privation d'eau, de lumière, aux menottes ou au supplice de la baignoire. Mon père serait le

142

thérapeute de ce fléau quand, tout près de la Côte d'Or, les Cripple, les Little Dennis ouvraient partout déjà leurs camps de torture pour le petit Yannick ou ceux qui lui ressemblaient dans leur friabilité. On vous torturait désormais au grand air, au soleil, sur les rivages des pays de santé, sans perdre le temps à vous priver de votre hygiène, de votre air. Sans un mot, on vous enlevait la vie.

« Allons nous baigner », me dit Stone, en me désignant le quai du bout du doigt. Lorsqu'elle avait tendu le bras, j'avais pensé à la croix gammée sur le bras de Grave Digger. Le cou tranché, désormais il ne pourrait plus imprégner Stone de ses vils symboles, il ne pourrait plus étendre sur elle les malfaisances de sa peau. Nous allions donc plonger dans l'océan, labourer de nos corps énergiques, le soleil, l'eau, comme le feraient dans quelques heures ces fils et ces filles de bonne famille, qui après le bain joueraient au tennis, au golf, déjeuneraient en compagnie de leur mère, de leur grand-mère, lustrés les uns comme les autres par cet air d'insouciance, cette paresseuse répulsion d'autrui qui les garderait tout le jour captifs du Grand Hôtel, sous les palmiers, aux Bermudes comme sur la Côte d'Or. Ils se promenaient partout dans leurs propres serres, leurs propres jardins. La mère, la grand-mère étaient blondes, sveltes. On apprenait en regardant la casquette dont elles s'ornaient pour se protéger du soleil qu'elles appartenaient au même *Ladies' Club*. Les fils, les filles, élancés et secs, étaient blonds eux aussi, et bientôt on les verrait tous dans cet océan où nous nous débattions en riant, Stone et moi. Car je la repoussais dans les vagues en disant « Grave Digger est mort, Grave Digger est mort » et elle me criait des insultes de ses lèvres noires. Parfois elle glissait sous mes jambes et je ne sentais que la fuite de son dos obscur. Je pensais que ceux qui nageraient bientôt à nos côtés, ces pieuvres blanches dans nos eaux sales, seraient peut-être demain les premières victimes de Cheddy Bear, du Rat : *Ladies' Club.* L'arrogante casquette de la mère, de la grand-mère, apparaîtraient bientôt à l'horizon : on ne verrait qu'elles sous leurs chatoyantes lunettes. Que la voix du grand Cerveau fût sévère ou persuasive, ils étaient rassurés lorsqu'ils pensaient aux stocks de bombes puisqu'ils possédaient leurs abris atomiques. Ils auraient, eux, après l'annihilation des autres peuples — ce serait peut-être au loin, en Europe centrale — les mêmes chapeaux contre le soleil, les mêmes lunettes. Il serait doux après de retrouver les bâtiments, sans tous ces gens qui vous ont toujours dérangé. Le grand Cerveau disait « il est temps de remplacer l'ancien B-52, par un missile d'une stratégie stupéfiante ». Tout cela était bien. On parlait aussi de missiles de croisière — ils aimaient cette expression — missiles en croisière. C'était un nouveau concept du voyage. La mère, la grand-mère, les fils, les filles, toute la famille était debout ; de leurs fenêtres entr'ouvertes ils contemplaient la pelouse fraîchement coupée, tapis qu'on déroulait jusqu'au bleu océan à leurs pieds, après le café et les croissants dégustés au lit.

De l'escalier qui menait au quai de bois, de la marche où j'étais assis, je voyais aussi ces forteresses, les domaines le long de la Côte d'Or : les uns semblaient faits d'un marbre luisant sous la lumière qui nous éblouissait déjà. Ces maisons glorieuses, me disais-je, auraient pu receler entre leurs murs ces anciens condamnés nazis qui longtemps avaient été libres avant de subir leur procès à Dusseldorf. L'une que l'on appelait la Jument avait été condamnée à la réclusion perpétuelle. Qu'avait-elle décidé au camp de concentration de Majdanek ? C'était une femme qui, comme le Blanc de

Chine, effaçait tout. Auprès d'elle cent mille vies humaines avaient disparu. On n'avait aucune preuve tangible de la culpabilité de son collègue, le caporal SS dont le prénom était Heinrich. Qui sait, ce romantique de la mort qui avait aujourd'hui soixante ans vivait-il, lui aussi, sobrement sur la Côte d'Or, dans l'un de ces palais de marbre sur lequel je dardais mes regards en reprenant mon souffle ? On se visitait le soir entre anciens gardiens de prison, on évoquait le bon temps. Il y avait eu ce camp construit en 1941 en Pologne. Où était-ce donc ? À Lublin. Il fallait créer après tout un enfer pour les indésirables, tous ces tziganes, attardés mentaux, ces homosexuels, des Russes, des Polonais aussi. Combien au juste ? Pas plus de deux cent cinquante mille, se disaient-ils entre eux. Ils poussaient les volets. Lorsqu'ils se rencontraient, ils parlaient une langue mystérieuse. Ils avaient été gardiens, gardiennes, rien de plus. C'était cela la guerre. Heinrich, la Jument, ils sortaient rarement, c'était plus sage. Ils étaient pâles lorsqu'ils longeaient les murs de leurs forteresses. Leur sang coulait, très rouge, lorsqu'ils avaient la maladresse de couper une rose, car ils avaient la peau fort sensible. La Jument, Henrich, ils pleuraient. éprouvaient des sentiments eux aussi et longtemps ils avaient espéré ne devoir jamais subir de procès à Dusseldorf !

Je revoyais le sourire éclatant du travesti brésilien sur la plage. Lequel de nous deux irait le premier dépouiller son frivole ami de ses bagues, de ses colliers ? La jambe de Stone frôlant la mienne au sortir de l'eau, je frissonnais encore de froid, comme au pied de l'arbre, lorsque les Bros étaient venus, en troupeau, déflorer Stone et j'eusse aimé sombrer dans un autre corps que le sien — même ce travesti — entravé par le cadavre de Grave Digger et sa main de cuir, qui tournoyait dans l'air brûlant. Plusieurs fois nous avions interrompu les réjouissances des hommes entre eux. Nous ne les attaquions pas parce qu'ils étaient des fêtards homosexuels mais dans la fougue jalouse de notre sexe qu'ils semblaient vouloir accaparer pour eux seuls. Par une nuit de célébration parmi de jeunes dieux autour d'une piscine, Cheddy Bear disait en avoir abattu deux avec son fusil. Mais nous aimions davantage les fusillades feintes, assourdissant la musique disco de nos coups de feu, dans ces lieux où ils se croyaient seuls, les cours intérieures de leurs maisons si habilement décorées, les bars où le son de nos armes semblait s'unir à la déflagration de leurs débordements sexuels. Ils allaient, comme le travesti brésilien, du côté féminin du monde, avec leurs élans, et leur brameuse tendresse qui rappelait le lait maternel : nous ne pouvions que les rejeter parmi les indésirables, dans cette fosse où la Jument et Heinrich, le délicat caporal SS, avaient mis tant d'autres, puisqu'un jour tout ne serait que fumée, même la Côte d'Or que les Little Dennis avaient l'intention d'atterrer par une germination d'incendies criminels, dans les retranchements de ses arbres, près de la baie. Je regardais l'océan, le ciel. Détendu je respirais, songeant à ma mère. J'aurais aimé lui écrire que j'étais toujours vivant, que bientôt je verrais sortir des portes du Grand Hôtel, dans l'air qui embaumait, des silhouettes délicieuses, Sophie, Lisa, chacune tenant sa mère par la main. « À moi tu es toute à moi, dis-le encore », chacune offrant au visage aimé l'essence de son être, toute sa candeur, comme je les avais vues jadis avec elle. « Dis-moi, maman, comment tu m'as faite. Recommence toute l'histoire. » Sophie, Lisa, qui aimaient tant qu'on les enveloppe dans une serviette après le bain et qui auraient bientôt le petit frère, la petite sœur conçue pour les espoirs de l'an 2000, par d'égoïstes parents. Sophie touchait le ventre de ma mère, « il bouge, tu entends », lui et toutes ses calamités. Quand Traver venait à la maison, il touchait le ventre de ma mère, lui aussi. « Serait-il noir comme moi », demandait-il, aujourd'hui, lui écrirais-je, « chère maman, ton Werther, ton Rimbaud, ont encore quelques rêves, l'un rêve de tuer un président. Quel tireur d'élite qui sentira bientôt autour de lui ces membres du service de sécurité, tel un chœur de pères, de frères, pour celui qui fut toujours orphelin. Soudain, on le dit partout, au Texas, en Californie, dans les halls de gares, il a tué son président. Six coups. Reporté à plus tard le débat sur les réductions budgétaires. La hiérarchie de la succession impatiente s'énerve. Portait-il son gilet anti-balles ? Mourra-t-il ou non ? Le conformiste tueur aime toute cette émotion, cette fièvre discordante. L'autre se dit qu'il y aurait un meilleur avenir dans le détournement aérien. On arrive à Damas, un samedi soir, brandissant les armes. Une centaine de passagers ont été retenus en otages. On est pirate, la radio annonce que la Syrie accordera un éphémère asile aux pirates ainsi qu'aux prisonniers politiques. Quel rêve de prendre le contrôle d'un appareil pakistanais, par un terne jour de mars, de le détourner sur l'aéroport de Kaboul ! Soudain la captivité en avion semble naturelle : On a eu un peu peur en survolant l'Iran, mais après quelques jours la tension baisse. Même à la merci d'une mitraillette les otages remarquent qu'ils sont bien traités et que le chef des pirates est un homme intelligent, parfois morose ou d'humeur instable. Un troisième rêve d'être un caïd dans la pègre. On le surnomme Tête d'Ange, les femmes, surtout, qui le comparent à James Dean. Celui-ci aura un sort plus brutal, il sera étripé par six détenus dans une prison italienne. On l'avait pourtant prévenu de la dureté de la pègre lombarde ; mais Tête d'Ange, rêvait d'en être le caïd. Poète, il se souvenait de son père surnommé Trois-doigts. C'était aussi un lundi et il pénétrait dans la cour de la prison de Badu e Carros. C'était l'heure de la promenade journalière : on avait fermé la porte, seize autre prisonniers l'accompagnaient. Soudain le hurlement de Tête d'Ange retentit. Il gisait dans son sang. Poète et amoureux des mythes de la pègre, Tête d'Ange n'avait-il pas imaginé bien souvent sa mort héroïque ! Ils viendraient, avec des armes rudimentaires, des couteaux de cuisine. Il serait lardé de coups, un ami d'autrefois lui ouvrirait le ventre, porterait ses intestins à ses dents, les mastiquerait, pour les recracher. Le caïd à la tête d'ange savait tout cela, c'était la loi du milieu lorsqu'on vous réservait une mort humiliante. Comme Rimbaud, dès l'âge de quinze ans, l'illumination le transperçait. Il avait ses commerçants protecteurs, ses fiancées au commerce généreux. Ne dépensait-il pas tous les soirs des douzaines de billets de douze mille lires ? On l'avait d'abord arrêté chez une de ses femmes, pour détention de mitraillettes à la Kredit Bank de Bruxelles. Il commettait son premier hold-up. Si jeune, n'était-il pas un chef incontesté, maître du trafic des drogues, des salles de jeux ? Lorsqu'il mourut, on vit ces tatouages sur sa poitrine : « La violence est ma loi, dieu des voleurs, laisse-moi mourir sans trahir la loi du silence. » Ma mère qui ne recevrait jamais ma lettre, et que je ne reverrais peut-être jamais plus, m'écrirait aussi son chant d'espoir. « Pierre, notre Pierre, nous t'aimons comme avant, nous t'attendons pour le mois d'août. Je t'expliquerai pourquoi. » Je lirais son exquise écriture, soudain abrupte, austère, j'entendrais la voix du professeur de musique, « tes soeurs font des progrès, nous aimons Traver comme l'un de nos enfants, lui ne sera pas la vingt-septième victime à Atlanta en près de deux ans. Il étudie avec Sophie, le piano, le violon ». Trois petits pêcheurs ne viendraient pas le recueillir demain dans la rivière Chattahoochee, noyé dans son pantalon rouge roulé jusqu'à ses genoux, puis séquestré dans les branches d'un arbre, lequel avançait au-dessus du cours d'eau, Traver pris dans les branchages, se frayant une route endeuillée le long des rives boueuses. « Tu imagines cela, mon fils. Traver vit désormais à la maison, nous l'aimons comme Sophie, Lisa. Reviens, Pierre. » Ma mère m'écrirait aussi que l'an 2 000 serait l'ère du féminisme en Chine, la libération de la femme sud-africaine. Avais-je pensé à cette jeune féministe chinoise affrontant le chauvinisme mâle dans son solitaire campus de Beida ? Elle avait affiché cette phrase toute limpide que l'on avait écartée violemment « La femme aussi est un être humain ». Du haut d'une estrade, dans le hall des étudiants, elle avait poussé ce cri en pleurant, « la femme aussi est un être humain ». La jeune féministe chinoise avait dû interrompre ses études, consacrer huit ans de sa vie aux travaux dans la campagne. « Je suis une femme, je porte la passion, la réflexion des autres femmes, c'est ainsi que je veux défendre les intérêts de mon peuple. » Elle était là, seule dans la foule hostile, avec son affiche, ses manifestes et on ne tarderait pas à la réhabiliter. Pitoyable témérité, me disais-je, en laquelle ma mère, mes sœurs allaient mettre toute leur foi car bientôt, en peu de temps, Sophie, Lisa, donneraient elles aussi en exemple l'histoire de la jeune chinoise contre-révolutionnaire. La lutte serait généralisée sur tous les fronts. La femme africaine parlait déjà de son identité, de sa liberté, dans des manifestations intrépides à Sophiatown, Sanderton, Zeerust. Qui connaissait ces lieux ? Elles résistaient à leur tour à l'emprise raciste, on les matraquait, les tuait, les emprisonnait ; elles revenaient encore. C'était la révolution hémisphérique de notre siècle. Et pour la première fois la voix du grand Cerveau se taisait, en attendant le secours de ses armes perpétuellement répressives. Cette solidarité de femmes et d'enfants allait s'éteindre, comme la musique de ma mère, sous le feu et l'acier.

Ce que ma mère ne savait pas, c'est que la victoire du grand Cerveau était diffuse : par le monde Sophie et Lisa iraient se baigner dans ces lacs ravagés par les pluies acides. Dans une seule région de l'Ontario seize lacs déjà appartenaient à cette forme désuète de la vie dans laquelle la terre peu à peu devenait un seul bloc acidifié. On dirait bientôt du monde qu'il n'était plus moribond mais désuet, dévasté par ces émanations depuis des dizaines d'années déjà. Partout, le sol était nocif, car la vie aquatique comme la terre et les champs, étaient la propriété du grand Cerveau : soudain on défiait la nature, on inversait le cours des fleuves. Sous le despotisme du grand Cerveau, les plus beaux fleuves de la Russie ne se jetteraient plus dans l'Océan polaire. Qui étaient donc ces despotes maîtres de l'irrigation des fleuves ? Ils étaient là, dans le journal du matin, comme à la télévision : les vastes lumières de leur palais, au Kremlin, se consumaient nuit et jour pour eux. À l'heure où chacun tremblait de froid dans l'hivernale noirceur de son isba, nourri de pommes de terre gelées et éclairé d'une vacillante lampe à l'huile, ils étaient huit, huit vieillards, levant la main ensemble afin de détourner les fleuves de leurs cours, cravatés, vêtus de noir, l'amertume de leur rictus s'unissant en un souverain désenchantement pour noyer lentement les républiques de Kirghisie, Tajikistan, Ouzbekistan, Kazakhstan, ou s'ils ne les noyaient pas, ils les assècheraient. Dans dix ans, ces sinistres fantômes du Politburo ne seraient plus là, puisqu'ils étaient désuets eux aussi, voyant et entendant à peine. Ils entendaient pourtant cliqueter leurs médailles de guerre sur leurs poitrines et le roulement des fleuves qui détruirait à jamais l'harmonie écologique. Déjà dans la tombe, ils lançaient leur dernier défi caustique à ces jeunes générations de Russes qui ne leur survivraient pas : l'écolier moscovite qui ouvrait en classe ses livres de géographie n'imaginait plus la beauté de l'Océan polaire. Il entendait les sons gutturaux de ces noms fatidiques, Ustinov, Gromyko, Chernenko, Tikhonov, Vorotnikov, Grishin, Gorbachev. C'était l'informe voix du grand Cerveau qui disait étale et unanime : « Dévasté demain l'Océan polaire, dévastée aussi la poésie de Pouchkine. »

Ma mère m'écrirait, « oui, Pierre, reviens ». N'avaient-ils pas projeté d'aller à un rassemblement de pacifistes, à Hiroshima, en août 81, eux, mes parents, Sophie, Lisa, le petit Traver. Le Grand Hôtel, la Côte d'Or se déployaient sous les nuages roses. Nos gangs iraient bientôt les dévaliser, et eux, ces archanges qui n'aimaient pas nos émeutes, seraient parmi ces cinquante mille personnes recueillies dans le Parc du Mémorial de la Paix. Mon père expliquerait, portant sur ses épaules Sophie avec sa pancarte, que le 6 août 45 toute une ville avait été anéantie. Sophie, un doigt sur les lèvres, ne comprendrait pas. Lisa verrait ces marques de radiation sur les bras, les mains du maire de la ville lorsqu'il parlerait à la foule. Une envolée de mille colombes dans le ciel ne la distrairait pas de ces traces indélébiles sur ces bras, ces mains désespérément tendues au-dessus du volcan éteint d'Hiroshima. Ces appels, ces prières en faveur du désarmement, ainsi que la ronde des colombes dans le ciel, feraient oublier à tous que le criminel du 6 août 1945 vivait heureux et sans remords. Pourquoi n'eût-il pas vécu sur la Côte d'Or avec la Jument et le caporal SS Heinrich ? Lâcher une bombe B-29 était un acte impersonnel qui n'en-

151

gendrait ni cauchemars ni culpabilités. Ce pilote aux milliers de flammes était désormais un général de l'Armée de l'Air. Sa retraite à la Côte d'Or ne lui déplaisait pas. On avait tant parlé de lui dans les films et les livres, mais c'était un homme qui dormait bien. Lorsque survenait le 6 août chaque année, il ne ressentait rien de particulier, il ne ressentait rien du tout : il ne méritait qu'une seule réprimande, il lui arrivait d'oublier l'anniversaire de sa femme. Mais maman, papa, qu'arrivera-t-il le 6 août 1985 ? Ou bien ce sera en janvier, le 15 janvier 1986. « Maman dis-moi, demanderait Lisa à mes parents. Regarde les colombes, les fleurs dans le parc. Ici nous sommes au Mémorial de la Paix. » Lisa, elle, ne jouissait pas de la stérile amnésie du brûleur de bébés du 6 août 1945 : ses yeux grands ouverts regardaient ces morts filandreux encore accrochés aux branches des arbres dans le parc, ces vies à peine écloses qui se désunissaient dans le sein de leurs mères. Les bébés palpitaient encore de cris, de tressaillements. La mère de Lisa, de Sophie, portait elle aussi un enfant calciné qui grelottait déjà d'abandon, même si le pilote du B-29 disait avoir perdu la mémoire. Lisa voyait partout autour d'elle l'oppressante masse des bébés brûlés, émiettés, sous le voile de la fumée. « À peine une nuée de poussière, pensait-elle, une piqûre de feu qui vous laissait disloqué, pendant que les colombes volaient sous le ciel d'août. Et si c'était en janvier, en février, maman, quand il fait froid ? Il fera plus froid encore et nous ne pourrons plus nous cacher. Il y aura toujours cette fumée dans l'atmosphère, aucune plante ne survivra, aucun animal, deux cent millions de tonnes de cendres dans l'air et aucune maison. Peu à peu la terre deviendra sombre, la lumière du soleil sera figée et refroidie. Nous aurons si froid en été comme en hiver ! Aucune moisson en été comme en hiver !

Oregon Washington. Rien. Il n'y aura plus rien la nuit descendra peu à peu complète, sur l'hémisphère Nord. Nous serons tous aveugles. Les oiseaux, les insectes, aveugles sous une couche de dévorantes poussières. »

« Il fait beau, Lisa, c'est le mois d'août, à Hiroshima. Août 1981. Tu sauveras le monde, Lisa, toi et Sophie. »

On parlait maintenant à la radio de ces barbares qui avaient envahi le Grand Hôtel, pillé les chambres, défoncé les chaises-longues sur la plage, cisaillé les tentes bleues, mais nous étions déjà plus loin, sur d'autres plages où venaient tous les jours s'étendre au soleil, avec leurs chaises, leurs journaux, de petits couples de vieillards, drôles et frétillants, fuyant la vie luxueuse de la Côte d'Or mais aimant sa promiscuité et son évasive lumière qui effaçait l'âge. C'étaient des bohèmes et des aventuriers presque centenaires qui se baignaient par deux, même lorsqu'il faisait un peu froid et qui se blottissaient parfois l'un contre l'autre, la nuit, dans les éclairages pourpres des pistes de danse. Eux ne nous craignaient pas car nous étions jeunes. Et Cheddy Bear, le Rat, se promenaient presque sous leurs yeux — comme s'ils eussent jugé sain que le royaume de la Côte d'Or fût détruit avec leurs balles de calibre 38, leurs cagoules pour les nuits de vol à main armée dans les villas, où les chiens de garde seraient anesthésiés — leurs possesseurs aussi — afin que ces otages deviennent à leur tour sans mémoire comme le cerveau du Brûleur de Bébés, l'homme qui avait tout oublié. Un jour, un gardien de sécurité avait été accidentellement atteint d'une balle de revolver. Comme nous l'avions lu dans le journal, Stone et moi, cet homme avait succombé à ses blessures. On parlait de trois individus armés, portant des masques, apparaissant la nuit chez un grand propriétaire de magasins de la ville. Cheddy Bear, le Rat avaient manqué leur cible. Le troisième bandit qui avait tué était un mulâtre de seize ans qui avait vite repris la route. Je me demandais ce qu'il avait éprouvé, quelle sensation de molle chaleur, lorsque le dos de sa victime s'était affaissé sur le parquet. Ou bien s'était-il jeté à plat ventre, pour s'emparer d'une somme de quatre mille dollars déposée dans un coffre-fort ? Avait-il vidé tous les tiroirs-caisses. Aucun des pilliards ne subirait une arrestation pour homicide puisque nous étions en guerre avec des ennemis magnifiés et dangereux.

Il eût fallu demander à ces lords que nous visitions par surprise au moment où leurs serviteurs les habillaient, leur apportaient des fruits dans des plateaux, qu'ils nous confient leur apologie de la torture, en Irlande ou ailleurs. Ils auraient dit qu'il était naturel d'incarcérer un homme sans accusation, que Castlereagh était un château de délices. Mais là on vous projetait contre un mur, on vous tordait les poignets et les bras, on jouait même à la strangulation en vous plaçant un sac en plastique sur la tête. Non, Castlereagh n'était pas le château d'un lord, mais un centre de détention de l'armée britannique : huit jours seulement, le gréviste, le terroriste attendait ainsi sa condamnation sous l'empire d'une Dame d'Acier qui, pendant ce temps, vantait au monde la grandeur des libertés publiques. D'autres se hâtaient d'être moins répressifs. N'étions-nous pas en été 81 ? Il était temps d'abolir en France la guillotine. Avec quel regret la ferait-on disparaître pourtant ; ce souple instrument de torture avait eu son charme depuis la révolution de 1789. Lorsqu'une tête tombait en un seul trait brutal, on eût dit que le sang qu'elle répandait était plus propre. Nul besoin de rapports médicaux. Ainsi s'en était allée la tête de Grave Digger, sous ce même couperet d'une société qui se purifiait par l'exercice d'une sanction

154

pénale. Et jamais nous n'aurions plus le temps de penser à lui, à la mère qu'il avait eue, ou à ses soeurs. Grave Digger n'était plus là, mais Cheddy Bear, le Rat, continuaient de poser des bombes pour lui, dans les hôtels, les immeubles de la Côte d'Or, dans d'autres villes aussi où se réunissaient les ministres dans leurs salles de conférence. Les ministres ne mouraient pas. Seulement une boulangerie, une épicerie, qui s'écroulait dans le voisinage. On ne savait plus qui mourait ainsi. On disait seulement, dans le journal ou à la télévision, deux hommes un blanc, un métis.

Nous commettions nos larcins à la Côte d'Or, un gardien de sécurité tiré dans le dos, une caméra, quelques bijoux, arrachés au cou d'un homosexuel. J'aurais aimé être un héros des Brigades rouges enlevant un général américain, sentir que germait en moi l'alarmant terrorisme international qu'ils redoutaient tous : on aurait craint alors en moi la névralgique violence dont on m'avait accablé en naissant, bien après le 6 août 1945. Des milliers de policiers eussent ratissé pour moi. Gregg, encore sur les genoux de sa mère, Baby Love, dans les terrains vagues de Brooklyn, tout le Nord de l'Italie, soudain le grand Cerveau lui-même et ses assistants eussent exprimé leur angoisse. Aurais-je exécuté à moi seul un officier américain ? Le grand Cerveau m'eût-il révélé ses secrets, ses documents militaires ? M'eût-il dit qu'en 1983, lorsque Sophie aurait dix ans, on verrait apparaître cent douze missiles Cruise en Sicile ? Tout en dévalant les plages de la Côte d'Or avec Stone, en faisant l'amour avec elle dans des lits voluptueux qui n'étaient pas les nôtres, en buvant le champagne qui n'avait pas été servi pour nous, je pensais encore au petit Yannick. Comment sa mère, son père qui l'amenait pour sa promenade quotidienne au bord de la mer, comment avaient-ils appris la

155

nouvelle ? Était-ce au poste de police ? Leur avait-on dit de venir dans une pièce sombre, une petite pièce où l'on vous confessait tout. « Nous devons vous annoncer une affreuse nouvelle. » Ces jeunes parents dévoués avaient-ils fait une crise nerveuse ? Peut-être ne leur avait-on dit que cela, d'abord : « Le petit Yannick est disparu, mais nous ignorons encore s'il est vivant ou pas. » Et ils avaient été rassurés. Yannick avait-il crié ? Une femme avait-elle quitté son fauteuil pour aller à sa fenêtre ? Aucun cri, sinon ce cri ordinaire des enfants qui jouent. D'autres mères, d'autres pères pleuraient avec les parents de Yannick ces jeunes absents de l'année 81, mais les Cripple, les Little Dennis, eux étaient libres : chaque parent craignait une macabre révélation. On exigeait du gouvernement qu'il déclare la guerre à ces assassins que l'on ne pouvait comparer qu'à de vieux sadiques, des maniaques. Huit jeunes sportifs avaient été perdus dans la vallée de Fraser, en Colombie Britannique. Pourquoi eux qui étaient sains et beaux ? Puis on touchait quelques indices : on avait vu un grand jeune homme brun aux yeux verts, au trouble regard, choisir le jeudi pour se livrer avec des enfants à ses désordres sexuels. Le signalement étant faible, l'auteur des crimes de la Vallée de Frazer, toujours furtif et caché devenait une femme plutôt corpulente, aux larges épaules. Le jeune homme brun aux yeux verts avait un accent germanique, on avait entendu le frissonnement d'acier de cette voix sur les rives du lac Weaver. Il y était venu pour pêcher, disait-on, et ne possédait aucune canne à pêche. Mais il y avait toujours cette chanson d'acier dans l'air pur et les Cripple, les Little Dennis, partis sur les routes, dans toutes les forêts de la Jungle, vers l'inépuisable course.

Je n'avais donc pas enlevé un général prestigieux, chef d'état major adjoint, un dieu du Pentagone, bourreau de nos forces terrestres. Lui aussi reposait sans se troubler sur la Côte d'Or, dans son domicile, auprès de sa femme qui n'avait été ni blessée ni violée, lors du passage des ravisseurs, à Vérone. Originaires de Floride, ils avaient déploré l'enlèvement des Brigades rouges, puis ils étaient revenus chez eux pour se bronzer sous ce soleil fumeux et noir qui me brûlait. Comme mon père, ils devaient juger que l'année 81 ainsi que ses statistiques confirmaient un net retour à la violence, sinon une escalade bondissante vers le crime. Ces observateurs parlaient d'un « marché du crime », du taux de chômage chez les très jeunes, du nombre accru de nos voleurs de banque. Il y avait un marché puisqu'il y avait concurrence et épidémie de banditisme. La Côte d'Or était là, sous les nuages roses, comme une coupe offerte, mais nous avions du mal à cerner toutes ses proliférations, tous ses criminels. Nous n'avions qu'à lire les journaux et regarder la télévision pour savoir comment se planifie un état de siège : c'était simple, on arrivait, en uniformes, comme nous, avec un arsenal d'armes. Comme les soldats nous étions endoctrinés, nous n'étions pas invulnérables ni à la terreur morale ni à la punition psychologique. Nous pourrions avoir un jour nos cantonnements et nos hommes en état d'arrestation, comme nous le commandait la voix du grand Cerveau. Mais que serait notre état de siège de la Côte d'Or, à côté de l'occupation de la Pologne par les Soviétiques qui approchaient ?

Ils s'étaient évadés de leur camp aux portes de Miami et ils montaient à leur tour vers la Côte d'Or : c'étaient des Haïtiens venus en foule que les services de l'immigration ne pouvaient plus contenir. Comme Baby Love, Oeil de Serpent, on les avait fait naviguer seuls dans leur marécage et ils avaient longtemps vécu ainsi dans leur camp de détention, l'une de ces zones marécageuse de la Jungle. Lorsqu'ils voulaient s'éloigner de leurs barrages, jusqu'au ciel enivrant de la Côte d'Or, on les repoussait avec des tirs de gaz lacrymogènes. S'ils faisaient la grève de la faim, on les laissait mourir. Tous ceux qui cultivaient leurs jardins, dans la Côte d'Or, les apercevaient grimpant avec leurs bateaux troués sur les côtes de Floride : *Boat people, boat people,* soupiraient-ils, craignant que comme nous ils échouent sur leurs rives. Pourquoi ne restaient-ils pas là où ils seraient internés dans leurs marécages de Fort Allen ? On leur donnerait toute une île afin qu'ils se mutinent entre eux. Ceux qui vivaient à la Côte d'Or avaient eu une remarquable idée : élever des clôtures, séparer les enfants des parents, les femmes des hommes. Ces clôtures seraient surmontées de barbelés. Nous étions en été 1981. Bientôt l'automne. Bientôt l'hiver. Et comme il y avait eu la Jument, le caporal SS Heinrich, la Côte d'Or murmurait toujours de la voix de ces gardiens, de ces gardiennes de camps — camps nouveaux à la frontière de la Côte d'Or — où des barricades s'élevaient entre réfugiés. Il y avait bien sûr quelques gardiens portoricains et quelques autres aussi, des blancs sans visages et sans noms dans l'histoire américaine, d'excellents geôliers qui matraquaient les Haïtiens, puis rentraient jouer au tennis, le soir, à la Côte d'Or, dormir. Surtout dormir.

Parfois, je passais des heures à m'amuser avec Stone près de l'eau. Quelques semaines après la mort de Grave Digger, elle ne peignait déjà plus ses lèvres de noir, je voyais ou sentais se dilater sous mes lèvres l'ourlet de sa bouche charnue. Moins hérissés par le cirage, ses cheveux s'assouplissaient. Sous ma main, alanguie par les assauts de Cheddy Bear, du Rat, la masse indistincte de ses cheveux, de sa tête tombait sur mon épaule : Stone était là, près de moi, avec le souffle et les assoupissements de l'enfance. Je pensais à Lisa, à la maison ; les mornes sons des instruments de musique dont elle jouait irritaient ma douleur. Elle irait à Hiroshima avec mes parents. L'éclair de la conscience la frapperait comme il m'avait frappé, dans une agitation de pensées que je poursuivais, sans espoir. C'était une fille, comme Stone, un sexe qui émergeait, tout prêt, à l'affront, à l'humiliation, puisque je savais moi, que le grand Cerveau ne permettrait pas aux femmes de vivre. On dirait de Lisa que la marche olympique pour les femmes était chose disgracieuse. Le stéréotype sexiste et raciste allait se renforcer, ne plus être. Si Lisa voulait un jour apprendre à lancer le disque, on lui dirait aussi que ce sport manquait de féminité, car le corps et l'âme de Lisa, me disais-je, seraient toujours dans la périphérie de l'homme, à l'ombre de ses servitudes. Il y aurait toujours un harcèlement, une interrogation autour du corps de Lisa — harcèlement du viol sans témoins. Les dossiers, les thèses, autour du cas de Lisa, iraient en s'accumulant. Les enquêtes aussi. Qui était-elle ? Par quelle révolte éhontée voulait-elle dire, j'existe ? Mais ce harceleur, c'était moi, je le connaissais, et dans cette confiance, cette crédibilité à l'homme, l'ourlet des lèvres charnues de Stone comme son sexe où je laissais se frayer ma vie et ses violences s'abaissaient à une confrontation inéluctable. Sans avoir le choix, je serais vainqueur. Lisa, c'était aussi Lisa demain, au retour d'Hiroshima, à l'automne, Lisa, Sophie, en l'an 2000 quand le grand Cerveau annoncerait qu'un quart de l'humanité serait engloutie par la faim, la malnutrition. Quel outrage que la faim des autres ! Lisa, ma soeur, ne savait pas qu'il venait jusqu'à elle car on ne parlait pas de famine, mais de « nouvel ordre alimentaire ». L'auto-suffisance de ces mots qu'employaient les chefs de pays industrialisés, Lisa les entendait à peine lorsqu'elle jouait du piano et du violon, mais un jour bientôt il n'y aurait plus de céréales, plus de blé. Cela, elle le savait : le Grand Harceleur de la faim ferait périr un milliard d'hommes.

Le Grand Brûleur de Bébés viendrait ensuite et la terre serait rase et nue.

La Côte d'Or serait un jour à nous. Nos campements, nos barricades s'élevaient lentement autour de ses palais, de ses forteresses ; d'autres viendraient se joindre à nous, les Cripple, les Little Dennis, Oeil de Serpent, Baby Love, encore dans les rues de New York, les Blousons Noirs, éparpillés dans la banlieue de Moscou, sur leurs grises plaines surgies de la boue. Pas même une famille. Le père, la mère oeuvraient pour le grand Cerveau. La vie vagabonde dans les gares de marchandises où l'on dépouillait les wagons. Une bande de loups affamés dans les squares lorsque disparaissait la rare lumière du soleil couchant. Ces frustes adolescents possédaient déjà la ville de Chita, en Sibérie où l'on agressait les passants comme à Rome, où, comme en Occident, on faisait le trafic des drogues. La plaine est à nous, la ville de Chita aussi. On ne voulait pas travailler pour cent roubles par mois. Le froid bouclier du socialisme ne défendait plus ses enfants qui erraient, échappant aux institutions spécialisées. À nous Chita, la grise plaine où la neige elle-même, plaquée, lépreuse, a la couleur de la boue. Il est vrai que les Cripple, les Little Dennis, tous les membres de la Jungle pouvaient aussi se tuer entre eux. Il n'était pas rare que des motocyclistes rivaux se fusillent entre eux. Ce serait peut-être la fin d'un abuseur de narcotiques comme Cheddy Bear. Stone ne me disait-elle pas que tous nos vols ne parvenaient pas à assouvir ses croissants besoins de cocaïne, de cannabis ? La grande entreprise des années 2000 ne serait-elle pas, comme l'établissement du règne de la torture, un commerce de stupéfiants qui pourrait rapporter au monde trois, quatre, cinq milliards de dollars par année ? Seuls les survivants, me disais-je, des bandes de hors-la loi, près de quatre mille bandes dans notre pays seulement, viendraient avec de faux billets de banque américains, de fausses cartes de crédit, sur ces plages de la Côte d'Or où nos crimes organisés, vraiment les nôtres, nous permettraient enfin de vivre.

En attendant, on remarquait à peine notre présence à la Côte d'Or. Les hôtes ne recevaient que des nouvelles de leur monde, à peine entendaient-ils nos pas désormais invisibles. Ils apprenaient, autour d'un cocktail, sur leurs terrasses, que pour la seconde fois en six ans le roi d'Espagne s'inquiétait de ces sérieuses menaces d'attentat. C'était au cours d'un déjeuner et le roi avait confié à ceux qui l'entouraient, « je ne voudrais pas, être l'objet d'un attentat spectaculaire ». Ainsi toute la Côte d'Or s'inquiétait pour la sécurité du roi d'Espagne, aussi parce qu'on avait parlé d'un tunnel piégé sur le parcours du roi Carlos vers la capitale catalane. On se souvenait de la mort accidentelle de l'amiral Blanco, dans sa voiture à Madrid. Il fallait admirer la ténacité et l'agilité d'esprit de ces révolutionnaires qui creusaient des souterrains sous la chaussée des villes, qui créaient des voûtes explosives au passage d'un amiral, un homme blindé, une gesticulante carapace soudain déchirée, dispersée dans l'air. Qu'en pensaient les gens de la Côte d'Or ? Que l'on transforme l'escorte du roi, qu'on le réconforte d'une plus grande protection, que dès l'aube des hélicoptères survolent sa demeure, que des patrouilles motocyclistes l'encerclent. Toujours ces techniques guerrières que nous eussions tant aimé employer nous-mêmes. Ils parlaient ainsi durant de longues heures du roi Juan Carlos, de ses héritiers et de ses éventuels directeurs de sécurité, à l'heure où dans le Golfe de Thaïlande on massacrait les réfugiés de la mer. Quelques-uns espéraient survivre en s'accrochant à des bidons de plastique pendant d'interminables jours, d'interminables nuits. C'étaient des femmes avec leurs très jeunes enfants. Elles seraient prises dans le filet de pêche. Les pirates les violeraient puis les rejetteraient à nouveau à la mer ; leurs cadavres s'insinueraient dans les eaux de la Côte d'Or ; si doucement, sous les tissus de l'eau bleue, qu'on ne les entendrait plus glisser.

C'était la nuit et je me réveillais souvent seul sur les saletés d'une plage que nous avions ternie la veille. Je regardais le ciel couvrant l'immensité de l'océan nocturne ; mon souffle qui était bruyant semblait suspendu à toute cette vie pullulante autour de moi. Je ne reverrais sans doute plus mes parents, mes soeurs, Stone suivrait Cheddy Bear à Daytona. J'étais rivé à la Côte d'Or, j'allais m'y enfoncer avec un coeur d'acier. Soudain je pensais à Grave Digger : qu'avait-il vu pour la dernière fois de son oeil pervers certes, mais qui sait, lucide ? Qu'avait-il vu du monde lorsque sa tête avait roulé dans le ravin, à Dump City ? Une dispersion d'images aux contours illimités, mille six cents personnes exécutées d'un seul mouvement, en Iran, les corps se brisant les uns les autres dans leur chute, comme des vagues. Toutes les désolations, tous les malheurs de cette année 81 où lui, comme moi, commencions à vivre. Sa tête, retenue par les boucles de ses cheveux à la corde d'acier avait hésité une seconde à s'éloigner de son cou, de tout ce corps qui paraissait à chacun indivisible. Très vite, il avait vu clairement de cet oeil habité de toutes les férocités l'incendie criminel d'un hospice de Hambourg par un groupe néo-nazi dont les infrastructures étaient parfaites pour la préparation d'un nouvel holocauste juif. Certains nazis américains doutaient que ce fût vrai, qu'il y ait eu un premier holocauste. On disait pourtant que c'était un « fait historique », on apportait toutes les preuves. Un rescapé des camps de la mort dont le nom rayonnait comme l'Etoile qu'il avait portée, *Mermelstein, Mermelstein,* pour souffrir, mourir encore. « Ma mère, avait-il dit, mes deux soeurs sont mortes à Auschwitz. » On l'avait écouté en souriant. L'incendie de l'hospice de Hambourg avait flambé d'un feu froid dans la prunelle de Grave Digger, cet oeil qui portait le monde à l'envers. Sous des nuages de sang, il avait entendu ces mots, « holocauste, holocauste, faits historiques », et son crâne avait été imprégné par le ruissellement d'une douce mélodie, on eût dit qu'il entendait les voix de ma mère, de mes soeurs, ponctuées par cette voix percutante de mon père lorsqu'il écrivait. C'était la voix d'une jeune femme qui luttait en Allemagne contre le nazisme. Elle était la mauvaise conscience de son peuple, disait-elle, elle n'avait pas quarante ans. Ses astucieux parents, grands-parents étaient au chaud sur la Côte d'Or. Beate Klarsfeld, à qui mon père avait rendu hommage dans ses écrits, avait, elle, l'âme et le corps épuisés et n'allait jamais au soleil. Sous sa dénonciation lumineuse, un chancelier puissant avait perdu son pouvoir. Auprès d'elle, les criminels les plus inertes n'avaient aucune immunité, ils étaient pourchassés, accusés. Elle n'hésitait pas à venir chez eux avec des journalistes, des caméras. Ce serait demain une martyre, ce soir même. Le chant épris de sa conscience avait traversé le crâne épais, sans fulgurance de Grave Digger qui allait mourir. Il était venu, lui aussi, au fond de la fosse de l'histoire mais n'y avait ramené personne. L'éclair de tous les génocides avaient illuminé ses yeux sur le point de s'éteindre et il avait compris, « Beate Klarsfeld, ils vont te tuer ». Même s'il frissonnait de bonheur au chant de sa voix, il avait vu aussi tous les manifestants contre les euromissiles dans les rues de Bonn, les étudiants sur le campus d'une université madrilène qui criaient, « pour la paix, la liberté », et aussi les assassins de Sadate, derrière les barreaux, au Caire. On disait que le comportement de ces assassins était joyeux, serein et il entendait sonner ces mots « l'âme joviale de la tuerie ». Grave Digger n'avait pas eu la mort héroïque d'un chef d'état qui prêche la réconciliation plus que la guerre. Grave Digger prêchait la guerre, mais assassiné lui aussi, sa tête avait roulé dans le ravin.

Maintenant, tout était calme, le soleil fumant et fou s'était couché sur la mer.

J'étais seul, sur une plage, avec ma moto, la Côte d'Or à mes pieds.

L'automne était là, je pouvais revenir chez moi, mais j'avais déjà perdu ma vie pour devenir un homme.

COLLECTION PRIMEUR L'ÉCHIQUIER

Titres parus :

1. René Lapierre, COMME DES MANNEQUINS, roman, 1983.
2. Gilles Marcotte, LA PROSE DE RIMBAUD, essai, 1983.
3. Marcel Bélanger, LIBRE COURS, essai, 1983.
4. François Hébert, HISTOIRE DE L'IMPOSSIBLE PAYS, roman, 1984.

Achevé d'imprimer sur les presses
de Laflamme et Charrier,
lithographes

Imprimé au Québec